D0830700

Murat ÇAVGA

Karadeniz'den batıya göçen bir ailenin çocuğu olarak 1970 yılında Kırklareli'nde doğdu.

İstanbul Üniversitesi Orman Fakültesini dereceyle bitirdi. DSİ bursunu kazanarak Doğu Anadolu'da çalışmalar yürüttü.

Amatör edebiyat dergilerinde makaleleri ve şiirleri yayınlandı. Tarih ve edebiyata olan tutkusunu roman diliyle ifade etmeyi seviyor.

İlk romanı *Peymani*'den sonra *Beyaz Ses* ikinci romanıdır.

SELİS KİTAPLAR: 102
Roman: 13

Kapak Tasarım : Refik Yalur

Baskı ve Cilt : İstanbul Matbaacılık

ISBN : 978-605-5927-07-3

1. Baskı : Temmuz 2008

SELİS KİTAPLAR
Çatalçeşme Sk. Nuri Tezer Apt. 23/1 Cağaloğlu-İstanbul
Tel: 0212. 514 56 53 Faks: 0212.520 05 58
www.seliskitaplar.com.tr

Beyaz Ses

Ley Hatları

Roman

▼

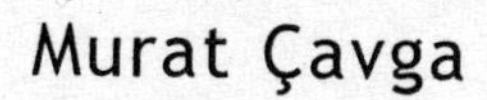

İstanbul 2008

-1-

Semuyt

Selimiye Kışlası-Türkiye, saat:10.30

Kapının ardından ayak sesleri duyuldu. Karargâhın bu katına çıkabilenler çok özel misafirler ve üst düzey subaylar olduğu için, koridorun sonundaki iyi ve düzenli giyinmiş askerler karşıdan gelenlere bakmadan hazır ol vaziyeti aldılar. Holde generalin emir subayının arkasında yürümeye devam eden yüzbaşı, generalin huzuruna çıkmadan elinin altındaki kırmızı dosyayı koltuk altına sıkıştırarak, gevşemiş kravatını son kez düzeltti. Yeşil yaka kartlarını, o kata giriş izni anlamına gelen kırmızısıyla değiştirebilmek için salonun ucunda duran kayıt defterine isimlerini yazan emir subayı, yeni geçiş kartlarının bir tanesini Yüzbaşı Atakan'a uzattı kapının önünde.

– Yeni yaka kartını tak yüzbaşı... Biraz heyecanlı görüyorum seni. Tayinin çıkıyor değil mi bu celp döneminde. Neyse bu son görevin olacak kışlada, diyerek tebessüm etti.

Yüzbaşı Atakan geçen beş sene içerisinde Selimiye kışlasında çeşitli görevlerde bulunmuş ancak bu vazifelerin hiçbiri karargâhta komutanın karşısına çıkmasını gerektirmemişti. Genelde alt rütbeli subaylar talimatlarını bir üst rütbedeki muvazzaf subaylardan almaya alışık olduğundan, ara rütbelerin atlanarak generalin hem de yanına bizzat çağırarak görevi sunması onu heyecanlandırmıştı. Merak ve heyecanı, alnındaki terlerin sicim sicim akmasına neden oldu.

Kahverengi ceviz doğrama kapının tok sesinin duyulmasıyla içeriye girdiklerinde tekmil vererek uzun masanın arkasında oturan generale baktılar. Geniş omuzlarının üzerinde küçücük kalmış çok yıldızlı apoletlerinin altını birçok başarı madalyasıyla doldurmuş olan general, kapıdan giren askeri gözleriyle bir süre süzdü. Yakın gözlüklerini kullanarak çalışmaktan torba torba olmuş gözlerini kısarak:

– Elindeki dosyayı inceledin mi? diye sordu.

Yüzbaşı bu ani soru karşısında bir an şaşaladı:

– Hayır efendim. Emir subayınız daha yeni tevdi etti, dedi.

Uzak mesafeyi iyi göremediği belli olan komutan, yüzbaşının sol yakasında duran soyadı kartını, gözlerini hafif kısarak okumaya çalıştı.

– Sen... Atakan yüzbaşı idin değil mi?

Karşısında hazır ol vaziyette duran yüzbaşı:

– Evet, benim komutanım, diye yüksek sesle tekmil verdi.

General masasının üzerinde duran Atakan'a ait sicil dosyasındaki bilgileri içeren sayfaları yavaş yavaş karıştırmaya başladığında, asık suratı mütebessim bir çehreye kavuşurken keyfi yerine gelir gibi oldu

– Yüzbaşı, diploma sicilinde askerî okuldan sonra kendi isteğinle İstanbul Üniversitesi Psikoloji bölümünde yüksek lisans yaptığın yazıyor. Tezini de başarıyla vermişsin. Vereceğim görevde senin bizzat Genelkurmay tarafından vazifelendirilmenin sebebi de bu özelliğin olsa gerek. Bir hafta içerisinde yeni tayin olduğun birliğine gideceğini ve görev yerinin değişeceğini biliyoruz. Bu nedenle verilen vazifeyi bir an önce tamamlamanı ve araştırmalarını içeren raporunu komutanlığa sunmanı istiyorum.

Çekmecesinden çıkardığı kalın sarı zarfı Atakan'a uzattı:

– Elimdeki dosyada da vazifenle ilgili detayları ve bilgileri bulacaksın, diyerek yakın gözlüklerini takıp Yüzbaşı Atakan'ın sicil dosyasını karıştırmaya devam etti. Odada sessizlik hâkimdi. General, masaya doğru eğilmiş başını hafifçe kaldırarak, karşısında hazır ol vaziyette duran iki subaya;

– Anlaşılmayan bir şey var mı? diye sorunca, iki subay da "Yok efendim." diyerek son tekmillerini verip odadan ayrıldılar.

Ayak sesleri zeminin tahta parkelerinde yankılanırken Yüzbaşı Atakan, olağan dışı verilen emrin ne olduğunun merakı içerisindeydi. Kurmay komuta karargâhı bölümünden ayrılıp doğruca odasının yolunu tuttu. Oysa Yüzbaşı, tayin emri geldiğinden dolayı bütün hazırlıklarını çoktan yapmıştı. Evindeki eşyaları kutulara çok önceden koymuş, kirada oturduğu evinin suyunun ve elektrik aboneliğinin kesilmesi için gerekli kurumlara başvuruda bulunmuştu.

Karargâhtaki kendi bölümüne giderek kapısını kapattığında, karşıda duran aynaya baktı. Aynada, sinirlendiği zamanlar alnının ortasında çıkan geniş damar kıvrımlarının yüzünde de belirdiğini fark etti. İçinden, zamansız verilen bu görevin nereden çıktığına dair hayıflanırken, üzerinde "çok gizli" ibaresi bulunan sarı zarfı ucundan yırtarak içindeki kalın dosyayı yavaşça karıştırmaya başladı.

Bir eliyle kantinden aldığı sandviçi yemeğe çalışırken diğer yandan dosyanın içindeki belgelere ve fotoğraflara göz atıyordu. Ancak, gizli ibareli dosyanın ilk sayfalarını karıştırmaya başladığında, ağzında sandviçle öylece kalakaldı, gözleri faltaşı gibi açıldı. Verilen emirde, Bakırköy Ruh ve Sinir Hastanesinde yatan ve askerî gizlilik içeren bilgilere sahip olduğu düşünülen Üzeyir Kaman adlı bir hastanın başından geçenleri incelemesi isteniyordu. Dosyanın içinde şahsın çeşitli zamanlarda çekilmiş fotoğrafları, mezun olduğu okulların diploma örnekleri, çeşitli fatura fotokopileri ile sıralanan birçok bilgi bulunuyordu. Atakan, askerî vazifelerinde daha önceleri (S2) iç istihbarat subayı olarak çalışmasından dolayı böylesi gizli bilgi ve belgelere aşina olmasına rağmen, verilen görevle ilgili dosyada okudukları ilk kez karşılaştığı hususlardı. Masasının üzerindeki, teğmen olduğunda halasının hediye etmiş olduğu yeşil masa lambasının ışığını yakarak dosyadaki evrakları ve resimleri bir bir gözden geçirmeye başladı.

Evraklarda yazılı bilgileri okumaya dalmışken bir anda dikkati dağıldı ve canı sigara içmek istedi. Karargâhta teftiş olduğundan, temkinli olmalıyım diye düşünerek, çekmecesinde duran sigaradan alelacele bir tane yakıp derin bir nefes çekti. Bu mereti içmeyi, çok sevdiği kuzeninin geçen yıl elim bir kazada vefat etmesinden sonra alışkanlık edinmişti. Ancak sene sonunda sigarayı bırakmaya karar vermiş olsa da bir türlü bırakamamıştı. Sigarasının dumanından son bir nefes aldığında pencereleri havalandırmak için açarken, kapıdaki görevli askere seslendi.

– Ahmet oğlum, Nahit astsubaya söyle arabayı hazırlasın. Bir ziyarete gideceğiz.

Aklındaki plana göre, bir an önce dosyada yazılanlar hususunda araştırmaya girerek generalin verdiği vazifeyi tamamlamak istiyordu. Evden eve nakliye yapan firma yetkilileri sabah aramış ve yeni görev yerine gidecek eşyaların taşınması için yarına gün almışlardı. Daha kız arkadaşı Şebnem'le buluşup giderayak yeni evinin ihtiyaçlarını beraber gidereceklerdi.

Saatine baktı, öğlen mesaisi başlamıştı. Hastaneye gitmek için Avrupa yakasına geçmesi gerekiyordu. Eğer dosya ile ilgili bilgi toplamaya şimdiden başlarsa Şebnem'le olan randevusuna geç kalabilirdi. Ama içinden bir his, en kısa sürede verilen görev hakkında bilgi toplaması gerektiğini söylüyordu. Çocukluktan beri sorumluluk duygusu aşırı geliştiğinden, vazife bir an önce sonuca ulaşmazsa ruhunun o gün rahat edemeyeceğinin farkındaydı.

Hastaneye gitmeden önce "acaba eve uğrayıp üniversitedeki yüksek lisans tezlerine bir bakmalı mıyım" diye düşündü. Ne de olsa psikoloji üzerine çalışmalarının üzerinden üç yıl geçmişti. Yüksek lisans yaptığı yılların haricinde psikoloji kitaplarıyla ilgili bir sayfa dahi karıştırmamış, bildiklerinden aklında birkaç kuru satır kalabilmişti. Albert Metin adlı yarı Alman yarı Türk profesör olan hocasının sözlerini hatırlayıp, içinden "Eşyanın tabiatındaki herkese göre farklı bir değer taşıyormuş gibi gözükme özelliği, aslında bu eşyanın rölatif olduğundan değil, yönelen kişinin rölatif değer kavramlarını inkişaf ettirebilmesi bakımından gerekli olduğu için, yapısında mevcuttur. Mevcuttur... Mevcuttur... Mevcuttur" diyerek, gülümsedi. Öğrencilik günlerinin o iş stresinden uzak atmosferine özlem duymuştu bir anda.

Not defterini çıkarıp yaprağın sağ köşesine tarih düştü ve başlığa "Üzeyir Kaman" yazarak görevin adını not etti. İnceleyeceği konu Genelkurmay'dan özel emirle kışlasına oradan da kendisine kadar ulaşmıştı. Aslında askerî birlikler içinde bu konuya profesyonelce yaklaşabilecek özel birimler mevcut olmasına rağmen görevin kendisine verilmesinin sebebini düşündüğünde bir an duraksadı. Böylesi karışık ve akademik bir konuda -operasyonel birliklerde görevli olmasına rağmen- kendisinin görevlendirilmesinde, hem de görevin bu kadar sıkışık bir vakte getirilmesinde bir hikmet aradı. Ama askerî okulda ilk olarak öğretilen "temel askerî disiplin"i hatırladı: Askerî gereklilik; verilen vazifenin sebeplerini düşünmemek ve emri eksiksiz uygulamaktı. O da bu bilinç içerisinde, emir astsubayı ile birlikte onları hastaneye götürecek arabaya binerek karargâhtan ayrıldı.

İstanbul'un çekici güzelliğini bundan sonra çok zor görebileceği düşüncesiyle Boğaz'ın eşsiz manzarasını trafiğin eşliğinde geçti. Yolda, yüksek lisans yaparken temel psikoloji bilimlerinin kendine verdiği analitik düşünme mantığını yokluyordu. Akademik bilimlerin metotlarını az çok biliyordu. En belirgin özelliği: İnceleyen kişi kendisini olayın dışında tutar veya öyle görürdü. Dar şuur alanının belirlediği metotlar ve prensipler dışına çıkamaz ve kullandığı vasıtaların duyarlılık sınırları dışında kalan şeyleri yok sayması gerekirdi. Ancak dosyayı okudukça verilen görevin hiç de öylesi düz psikoloji mantığıyla algılanması gereken bir vaka olmadığını fark etti. Arabanın arka koltuğuna yaydığı evrakları hastaneye gidene kadar daha detaylı incelemesi gerektiğini düşenerek, İstanbul'un eşsiz güzelliğine veda etti.

* * *

Arabası hastanenin kapısına geldiğinde, beyaz ve soğuk mermer basamakları çıkarak başhekimliğin bulunduğu bölüme yöneldi. İhtisasını yaparken hastanenin bu katına birkaç kez işi düşmüş olduğundan, koridorun sonundaki başhekimlik bölümünü bulmakta zorlanmadı. Yan bölümdeki salona girdiklerinde, sempatik tavırlar içerisindeki güleryüzlü sekreter, başhekimin konsültasyonda olduğunu söyleyerek misafirlerini bekleme salonuna buyur etti.

Hayatında en sevmediği şeyler arasındaydı, birisini beklemek. Saatine baktığında vaktin hızla geçtiğini ve gece randevusuna geç kalacağını anladı. Canı sıkılmış halde beklerken, sehpanın üzerindeki psikolojiyle ilgili dergilere göz atmaya başladı. Okul zamanlarında psikoloji üzerine okuduğu yüzlerce makale ve dergi gelmişti aklına. Psikoterapi teknikleri hususunda verdiği onca uğraşı belki de bu görevde ilk kez bir işe yarayacaktı .Fakat görevin zamanlaması, hayatına çizdiği yön bakımından çok tersti. İstanbul'da kaldığı beş yıllık süre zarfında birkaç kez gittiği konferanslarda, söylenenleri anlamaktan öteye gitmeyen psikolojik tanımları ve tabirleri ilk kez bir denek üzerinde anlama ve bizzat uygulama fırsatı doğmuştu. Görevin zorluğuna dair düşünceler kafasından geçerken başhekim kapıda beliriverdi.

– Geldiğinizi haber verdiler. Ben de fazla bekletmemek için acele ettim, -dedi karşılama cümlesi olarak-. Bu sıralar memlekette herkesin psikolojisi bozuk galiba. O kadar çok hastamız var ki... Buyurun odama geçelim...

Başhekim masasının başına geçti, misafirler koltuklardaki yerlerini aldılar. Misafirlerin askerî birimden geldiğini görünce daha bir ilgi göstermeye çalışarak;

– Geçen hafta getirilen hasta için geldiniz sanırım? diye sorup, masasının üzerinde yığılı hasta dosyalarını karıştırmaya başladı.

Atakan kulağı başhekimde, bir yandan da odanın içini gözleriyle kolaçan ediyordu. Tıkabasa doldurulmuş yüzlerce kitabın bulunduğu kitaplığı arkasına almış olan başhekimin, çeşitli evraklar, değişik biblolar, plaketler, kalemliklerle dolu masasında aranılan bir şeyi bulmak neredeyse imkansızdı...

Başhekim ;

– Hastanın ismi neydi? diye sordu

Atakan odanın gizemine kendisini kaptırdığından soruyu anlayamamış, boş gözlerle başhekime bakıyordu.

Dosyayı ararken kocaman bir çerçeveye sığdırılmış kalın camdan gözlüklerini kulaklarına geçiren Başhekim tekrar sorma gereği hissetti. Atakan bir an kendini toplayarak;

– Üzeyir Kaman'dı doktor bey, deyiverdi.

Masanın üzerinde yığılı dosyalardan üzerinde yazılı hasta isimlerini kendi içinden tekrarlayarak dosyayı arayan Başhekim.

– İşte buldum, buraya gizlenmiş. Evet, Üzeyir Kaman. Bakalım dosyasında neler yazıyor. Hımm, hastamız bir jeoloji mühendisi. Tahsilinde bayağıda başarılı birisi. Sonra İTÜ Jeoloji mühendisliği bölümünü tercih etmiş. Bir ara asistan olarak üniversitede kalmış. Ama doğaya olan merakından üniversite sıraları onu kesmemiş ve kendini mesleğin içinde bulmuş. Çeşitli maden araştırmalarına katılmış. Başarılı da olmuş. Birkaç ödül bile almış araştırmalarından ötürü. Sonra Zonguldak kömür işletmelerinde çalışırken grizu patlaması neticesinde bir kaza geçirmiş ve kısa süreli göçük altında kalmış.

Başhekim bir yandan dosyayı incelerken, arasıra gözlüğünün üzerinden karşısında oturan asker üniformalı misafirlerini inceliyordu. Kısa bir sessizlikten sonra oturduğu koltuğun arkasına yaslanıp rahat tavırlar içerisinde piposunu eline alan başhekim:

– Size bir şey sormak istiyorum, -dedi- Hasta ile neden bu kadar çok ilgileniyorsunuz. Özel koruma ve güvence, askeri tedbirler falan... Bu kişide ne saklı olabilir ki? Uzmanlarımız şahsı bir haftadır incelemişler. Sıradan bir şizofren başlangıcı. Halüsinasyonlar, manik depresif hareketler yani basit bir şizofren vaka... Başka ne bekliyorsunuz bu kişiden?

Atakan yüzbaşı askerliğin vermiş olduğu ciddiyetle karşılık verdi:

– Hocam siz de takdir edersiniz ki konu askerî çerçeve ve standartlarda Genelkurmay'ın emriyle yürütülen gizli bir soruşturma. Bu konuda size bilgi vermem doğru olmaz ancak kişi ile bir de biz konuşmak, mümkünse aldığımız talimatlar gereğince incelememiz bitene kadar yakından ilgilenmek istiyoruz.Bu gizli bir soruşturmadır!

Bu cevaptan tatmin olamayan başhekim, karşısındaki talep ve kararlılığı görünce biraz canı sıkılmış halde, misafirlerinin askeri makamı temsil ettikleri bilinciyle isteği geri çevirmeden sekreterine hastayı göstermeleri için yardımcı olması talimatını verdi.Misafirler tam dışarı çıkacaklardı ki Başhekim kapıdan çıkmak üzere olan Atakan'a seslendi.

– Sizden çok daha yetkin doçentler ve bilim adamları inceledi konuyu. Biz eğer bir teşhis koymuş isek siz bundan daha öteye gidemezsiniz! diyerek, bıyık altı bir gülümsemeyle "Ama yinede siz bilirsiniz " diye ekledi.

Atakan yüzbaşı belki de şimdiye değin hastanelerin soğuk yüzüne hiç bu kadar yakın olmamıştı. Koridora girdiğinde, anlamsızca bağıran ruhsal bunalımdaki insanların, bir köşeye gizlenmiş korkak gözleriyle ona bakan ihtiyar hastaların bulunduğu bölümlerden geçerek geniş pervazlar ile çevrelenmiş yeşil bir hole vardılar. Karşıdaki verandanın sonunda çimlerin üzerinde tekerlekli sandalyede oturan adamı gösterdi hemşire hanım:

– İşte hastamız bu. Uzun süredir ilaç tedavisini reddediyor. İlaçların ani kesilmesi de kişiyi sinirlilik ve depresif hareketlere sevk edebilir, dedi ve "Aşırı tepki verirse bizi çağırın" diye uyarmayı ihmal etmedi.

Atakan, elinde dosyalar, ne diyeceğini, konuya nasıl başlayacağını bilemeden tekerlekli sandalyeye yavaş adımlarla yürüdü. Kimliğini, geçmiş hayatını az çok elindeki dosyadan öğrenmiş olduğu bu çelimsiz, zayıflıktan yüzünün elmacık kemikleri çıkmış, tel tel sakalları uzamış bitkin insanı karşısında gördüğünde bir anda burada ne aradığını kendi içinde sorguladı.

Askerî mantık tarzını bırakıp psikolog kimliği ile hastayla iletişim kurması gerektiğini düşünerek, sert ve ciddi mizacından kravatını biraz gevşeterek kurtulmayı denedi. Söze nasıl başlayacağını bilemiyordu. Heyecanlanmış, psikolojiye dair öğrendiği bütün bilgiler sanki bir anda aklından uçup gidivermişti. Atakan hastasına tam bir şeyler söylemeye niyetleniyordu ki tekerlekli sandalyede oturan adam arkasından gelenleri fark etmişçesine:

– Geç kaldınız, diye seslendi.

Bu ani çıkış karşısında Atakan şaşkınlığını gizleyemedi. Tekerlekli sandalyedeki adam sakin bir edayla tekrarladı;

– Geç kaldınız diyorum subay! Sizleri daha önce bekliyordum.

Atakan yavaşça yürüyerek tekerlekli iskemlede oturan adamın donuk gözleriyle baktığı ormana doğru ilerledi ve karşısında durarak yüzüne baktı. Süjesini daha iyi tanımak için ona rutin psikolojik tanı soruları sormaya niyetlenirken böyle bir ani tepkiyle karşılaşacağını ummuyordu. Elindeki dosyayı masanın üzerine bırakıp verandada duran demir sandalyeyi hastanın yanına çekti.

– Adın Üzeyir, bunu biliyorum. Senin hakkında buraya gelmeden önce araştırma yaptım.Senin söyleyeceklerin önemli olmalı ki, beni seni dinlemem için özellikle askerî birimlerden görevlendirdiler. Başından geçenleri dinlemek için buradayım. Neler yaşadığını, hikayeni bana anlatmak ister misin?

Kirli sakallarını kaşımaya başlayan hastanın gözlerindeki donukluk bir anda gitti ve sanki yaşadığı korkunç sahneler tekrar hafızasına gelmiş bir edayla elleri bir an titreyiverdi. Bir şeyler anlatmak için kendini sıktığı, oturduğu sandalyenin kolçaklarına iyice yapışmasından belli oluyordu.

Atakan sohbete girebilmek için dosyanın ilk sayfasındaki bilgileri hastasına okumaya başladı.

– Bakın sizin için bu dosyada neler yazıyor. İlkokulu Bursa'da bitirip liseyi derece ile tamamlamışsınız. Doğaya ve onu var eden nesnelere olan ilginizden dolayı İstanbul Üniversitesi'nde Jeoloji bölümünde okumayı tercih etmişsiniz. Kısa bir dönem üniversitede ve özel bir şirkette çalıştıktan sonra Maden Teknik Arama Enstitüsü'nde görev almış ve her yerde başarı ile vazifenizi ifa etmişsiniz. On yıl önce babanızı kaybettikten sonra anneniz ile yaşamaya başlamışsınız.

Atakan dosyadaki evraklarda yazılı bilgileri okurken Üzeyir onun rütbesine göz attı.

– Yazılanların hepsi doğru yüzbaşı, diye seslenip konuşmaya devam etti:

– Gelmenizi uzun zamandır bekliyordum.

Yüzbaşının kulağına gizli bir şeyler söyleyecekmiş gibi eğilerek fısıldadı;

– Hastanenin kaçık başhekimi ne dediğimi anlayamadığından, adamlarıyla bana ilaç verip ruhumu uyuşturmaya kalkıyorlar. Ama anlatacaklarımı ancak siz çözebilirsiniz. Ancak bir şartla!..

Bakışlarıyla Atakan'ın söylediklerini teyit etmesini bekledi. Atakan buyur anlamında başını sallayınca konuşmasına devam etti:

– Anlatacaklarımın hiçbirini o kaçık başhekime bahsetmeyeceksin. Yoksa bana daha da çok hap vererek bedenimi uyuşturmaya çalışır.

Atakan'ın gülümseyerek "Tabi ki, bana inanabilirsin." demesiyle Üzeyir'in bir an olsun güveni yerine gelmişti. Gözlerini karşıdaki yemyeşil ormana dikerek yaşadıklarını bir film senaryosu tadında anlatmaya başladı.

– Biliyor musun Yüzbaşı... Ben Türkiye'nin hemen hemen her yöresinde vazife yaptım. Gezmediğim köy, dağ, ova, gitmediğim şehir kalmadı. Ama o son gittiğim yer var ya, her şey karşıda gördüğünüz ağaçların bulunduğu bir ormanda başladı.

– Seni buraya gelmeden önce biraz araştırdım. Uzun yıllar maden aramalarında uzman olarak bulunmuşsun. Karabük, Güneydoğu petrol araştırmaları ve en son Trakya'da bor maden rezervlerinin araştırmalarına katılmışsın. Bu bahsettiğin mekan son çalıştığın şantiyenizin olduğu yerde mi?

Atakan notlarında yerin neresi olduğunu bildiği halde hastasıyla diyalog kurmak için bilgileri ona teyit ettirmek istiyordu.

– Çalıştığın yer neresiydi? diye sordu. O anda süjesinin korku dolu gözlerle ormana baktığını gördü.

— Orman tehlikelidir yüzbaşı, bir daha asla oraya gitmek istemiyorum.

Gayri ihtiyari ağzından çıkan bu söz, Atakan için, bir psikoloğun hastasından ilk aldığı tepkiler olması açısından önemliydi. Dosyada, hastanın iletişim kurduğu kişilere olan güvensizliği belirtildiğinden, Üzeyir'e karşı onun diyeceklerini destekleyici bir psikoterapi yöntemi kullanmayı tasarlıyordu. Konuya ilk giriş yaptığı yerin doğru olduğu düşüncesiyle yine aynı konu üzerinde derinleşmesi gerektiğini anladı.

— Orası dediğin neresi? İş yerin mi? Şantiye mi?..

Soruları bu sefer yanıtsız kaldı.. Tekerlekli sandalyede oturan adam ellerini ovuşturmayı hızlandırdıkça Atakan artık sorularını, karşılığında alacağı cevaplar için sıklaştırması gerektiğini düşündü.Bu sefer net ifadeler kullanmayı tercih etti.

– Her şeyi en başından anlatmak ister misin? diye, tekrar sordu.

Hastanenin ormana açılan geniş balkonunda derin bir sessizlik vardı. İçeriden gelen gürültülerden, hastaların bağrış çağrışlarından rahatsız olan Atakan, oturduğu yerden kalkıp verandaya açılan beyaz kapıları kapadı. Yeşil ormana doğru uzanan bahçedeki kuşların seslerinin netleştiği anda tekerlekli sandalyedeki adam karşıdaki ağaçları gösterdi.

– Orada da bu ağaçlardan vardı. Hatta daha büyüklerinden... Biliyor musun yüzbaşı, bu ağaçlar gövdelerinde yaz kış iki tona yakın su biriktiriyorlarmış. Bunu bana şantiyedeki bekçi söyledi, diyerek anlamsızca gülmeye başladı.

Atakan arkasında duran emir astsubayına dönüp hastasının ne demek istediğini anlamaya çalışır gibi boş gözlerle baktı. Emir astsubayı:

– Kayın ağaçlarından bahsediyor efendim, diye Üzeyir'in bahsettiği ağaçları işaret etti.

Üzeyir ilginç bir şey duymuşçasına başparmağını sallayarak içinden gelen bir sesle:

— Evet ya, evet kayın ağaçları, diye ekledi. Her şey o gün, o devasa kayın ağaçlarının gölgesinde başladı.

Gözleri sulanmış, gözbebeklerinde biriken çapaklar burnunun üzerine doğru akmaya başlamıştı. Her hali ile tamamen bitik bir görüntü sergileyen Üzeyir'in bu tür depresif durumlarda ani his reflekslerinin ortaya çıkabileceğini bildiğinden Atakan elini sıkıca tuttu. Onu konuşturabilme arzusuyla;

– Devam et, devam et lütfen, dedi.

Verandaya ilk geldiklerinde tedirgin olan Üzeyir, Atakan'ın ustaca tavırlarından ötürü biraz rahatlamış vaziyette iskemleye yaslanıp anlatmaya başladı.

– Siz de bana inanmayacaksınız biliyorum. Kaç defa bu deli doktoruna başımdan geçenleri anlattım ama o da bana inanmadı... Ya da diğerleri gibi bana zarar vermeye çalışacaksınız. Bıktım sizlerden! diyerek bir anda oturduğu yerden kalmak istedi ama güçsüz bedeni buna müsaade etmedi.

Atakan'ın emir astsubayı, Üzeyir'in yanına gelip omuzlarından iskemleye doğru bastırarak, sakin olmasını telkin eder hareketlerle yatıştırıp yeninden masanın başına getirirdi. Hastayla doğru dürüst iletişime geçememekten dolayı Atakan'ın canı sıkılmıştı.

– Seni dinliyorum Üzeyir. Hikâyen bizim için çok önemli ve sana asla zarar verilmesine izin etmeyeceğim. Sana söz veriyorum.

Üzeyir bir süre sonra iyice sakinleşmişti. Donuk gözleriyle karşıda bir film seyrediyormuş ve sahneleri anlatıyormuşçasına kelimeler ağzından dökülmeye başladı.

– O gün her zamanki gibi şantiyenin olduğu dağ yolundan aşağıya doğru arabamla iniyordum. Şantiyede bor madenlerinin rezerv yapabileceği damarların Karadeniz yeraltı uzantı bloklarını araştırıyorduk. Şantiye ile evim arasındaki iki saatlik dağ yolunu her gün geçmek zor olduğundan, haftada iki üç gün eve ancak gidebiliyordum. Diğer günler ise şantiyedeki barakalarda kalmayı yeğliyordum. O gün de eve gitmeye niyetlenip arabama bindim. Dağ yolunun en tepesinde Güzellik Çeşmesi denilen ve dağdan gelen suların oluk oluk aktığı bir yer bulunuyordu. Oradan taze su alıp eve götüreyim diye arabayı yolun kenarına park etmiştim. Hava yazdan kışa döndüğü için dağın tepesini sis kaplamıştı. Akşamüzeri olduğundan fazla ilerisini görmek de mümkün değildi. Çeşmenin başında bidonlara suyu doldurmak için eğildiğimde yanımda bir karaltı görür gibi oldum.

– Kimdi o? Daha önceden tanıdığın birisi mi?

– Hayır, o zaman kadar hiç görmediğim birisi. Giyinişinden bir köylü kızı olduğu belli oluyordu. Yaz aylarında şantiyeden evime giderken o çeşmenin yakınlarına gelen giden turistlere meyve satan yörenin insanları olurdu ama kış mevsimde o kızın çeşmenin başında olmasına şaşırmıştım. Ben de şaşkınlık içerisinde "Kimsiniz?" diye, sordum.

Atakan heyecanlanmıştı ve gayri ihtiyari;

– Cevap verdi mi bari size? diye, soruverdi. Bu anlamsız soru, sadece Üzeyir'in kahkahalar atarak tekrar anlamsız gülme krizlerine girmesine neden olmuştu. Kahkahalarla başı yerden havaya doğru eğilip kalkarken bir anda gözlerini Atakan'a dikip sert ve net bir ifadeyle "Hayır" diye bağırdı.

Atakan bu ani tepkiden ürkmüştü. Hastasına böyle anlamsız sorular sorarak konuşmasındaki intizamı kaybetmek istemiyordu. Canı sıkılmış, bir anda iç muhasebesi yapmış "Neden bu deli ile görüşmeye beni yolladılar ki?" diye, düşünür olmuştu. Aslında karargâhta lüzumsuz ve işe yaramayan bir insan da değildi. Üst komuta kademesi de, verilen her emri eksiksiz bir şekilde ifa ettiğini biliyordu. Vazifeye kendisinin görevlendirilmesindeki hikmeti anlayamamakla beraber Üzeyir'i dinlemeyi tercih etti.

Tavana boş gözlerle bakan Üzeyir, kısa bir sessizlikten sonra hikâyesini anlatmaya devam etti.

– Köylü kıyafetleri içerisindeki kıza doğru yanaştım. Yüzü bembeyaz, saçları uzun ve sapsarı, güzeller güzeli birisiydi. Akşam olmak üzereydi ve orada ne işi olduğunu merak etmiştim ancak bunun sebebini araştıracak halde de değildim. Zira eve geç kalmıştım. Daha önümde en az bir saatlik yolum vardı. Bir an önce çeşmeden suları doldurup eve gidecek, güzel bir duş alıp günün yorgunluğunu üzerimden atacaktım. Ondan dolayı köylü kızıyla pek fazla ilgilenmemeye çalıştım. Oluk oluk akan çeşmeden doldurduğum suyu tam arabamın bagajına koyacaktım ki kız bana dönüp, "Bana yardım et!" diye, seslendi.

Şaşkınlık içerisinde göz ucuyla onu süzdüm. Sanki tarihin içinden yöresel kıyafetleriyle çıkıp gelmiş bir figür gibiydi. Giyimi, hafta sonları kanalları karıştırırken Yunanistan televizyonlarında gördüğüm yöresel kıyafetlerle oynayan folklorcu kızları andırıyordu. Suları arabanın bagajına yerleştirip onu dinlemeye karar verdim. Karşımda tebessüm ederek duran kız konuşmaya başladı: "Sizden bir ricada bulunacağım. Benim kardeşim savaşa gitti ve kendisinden bir türlü haber alamıyoruz. Onu bulmamda bana yardımcı olur musunuz?" dedi. Savaş deyince bir anda kalakaldım.

"Ne savaşı bu böyle?" diye düşündüğümde, ülkenin içinde bulunduğu herhangi bir savaş yoktu. Pek anlam vermemiş bir ifadeyle onu incelerken ismini sorduğumda bana isminin Haleda olduğunu ve Bulgar göçmeni olduğunu söyledi. Kardeşinin de savaşmak için güneye indiğini, muhtemelen de orada esir olduğundan veya kaybolmuş olabileceğinden uzun zamandır haber alamadıklarını söyledi. Köylü kızının bahsettiği şeyleri mühendis mantığıyla bir analatik silsilesine oturtmak istediğimden karşımdakinin 1980 yıllarının başında Bulgaristan'dan Türkiye'ye gelen göçmenlerden olduğunu, kardeşinin de muhtemelen Amerikan askerî birliklerine katılmış bir lejyoner olabileceğini ve Irak'ta Saddam dönemiyle beraber başlayan savaşta kaybolmuş askerlerden birisi olduğunu düşündüm.

Böyle düşününce bir sorun yoktu ama bu düşünce yumağı dahi içimi rahatlatmaya yetmedi. En azından, bu olayda benim bu kıza ne gibi bir yardımım olabilir ki diye geçirdim içimden. "Az ilerideki şantiyede çalışan bir mühendisim, sana yardımcı olamam" diye kendimi ona ifade etmeye çalışırken bir anda yanıma doğru yanaştı. O anda gözlerine baktığımda, beynimi delip geçen kocaman mavi gözleriyle hiç kıpırdamadan bana baktığını gördüm. Böylesi güzellikte bir köylü kızının hem de tek başına dağın tepesinde ne arayabileceğinin düşüncesi içimi ürpertti. Gördüğümün bir rüya olup olmadığını anlamak için elimle yeleğinden sarkan işlemeli feracesinin omuzlarına dokunmak istedim. Ama elim boşluğa düştü. O anda elimin havadaki boşluğu yaladığını gördüğümde karşımdakinin bir insan olamayacağını anladım.

Dağın tepesinde müthiş bir rüzgâr çıkıp ağaçların dallarında biriken karları havada uçuşturmaya başladığında, ormanın derinliklerinden koyunların boyunlarında salınan çan sesleri gelmeye başladı. Gözlerimi korku içerisinde ormanda seslerin geldiği yöne diktim. Yanıbaşımda duran kızın bir anda korku dolu gözlerle kulağıma "İşte geliyorlar, şimdi gitmeliyim. Lütfen bana yardım et." diye fısıldayıp ormana doğru koşarak bir anda kaybolduğunu gördüm.

Bir an "Kimler geliyor? Neden kaçıyorsun?" diye arkasından seslensem de, çok geçti. Korkmuştum. Çeşmenin başında yapayalnız kalmıştım. Duyulan ses sadece dağın ötesinden gelip ağaçların yapraklarını yalayan rüzgârın hışırtılarıydı. Hava iyice kararmış, sis dağın tepesine yerleşmişti. Çeşmenin başında kalmış diğer boş bidonlara su doldurmadan kapları orada bırakıp arabama atlayarak son sürat uzaklaştım.

Atakan söylenenleri sakin bir edayla dinliyordu ve her detayı not etmeye çalışıyordu. Yazdıklarının karşısına kalemiyle ok işaretleri çıkarıp "hastanın sözleri basit bir halüsinasyon ve şizofren başlangıcı belirtileri" diye notuna ekledi. Saatine baktı. Aklına akşam buluşacağı Şebnem geldi . Hastaneden erken çıkabilirse gece daha çok vakti kalacak ve her zaman gitmekten mutluluk duydukları kafede biraz daha vakit geçirebileceklerdi. İlk görüşmeyi kısa kesmek düşüncesindeydi ama "biraz daha soru sorup kanaatimi netleştirmeliydim" diye düşünerek.

– Peki, sonrasında neler oldu? O köylü kızıyla bir daha görüştün mü?diye sordu.

Üzeyir oturduğu iskemleden donuk gözlerle hastanenin bahçesindeki ormana doğru dalgın dalgın bakıyordu. Masanın üzerinde duran çayı bir yudumda içiverip anlatmaya devam etti.

– Sonraları gece kâbusları başladı yüzbaşı. O köylü kızını devamlı rüyalarımda görmeye başladım. Sürekli aynı rüyada karşıma geçip "Beni bul, bana yardım et" deyip duruyordu. Beynimin içi küçülmüş, sanki düşünceler içine sığmaz olmuştu. Rüyalar uykusuzluğa ve sinir bozukluğuna sebep olmaya başladı. Görevim ve şantiyede maden araştırmalarındaki hassas aletlerin kullanımı aşırı dikkat gerektirdiğinden, gün içerisinde rutin işlerimi yapamaz oldum. Uyku düzenim allak bullak olmuştu. Gördüğüm kızın bir insan olamayacağına ve sadece bir hayal ürünü olduğuna kendimi inandırmaya çabalasam da, içten içe biraz merak biraz da korku ile, bir hafta sonunda kendimi onu ilk gördüğüm dağdaki çeşmenin başında tekrar buldum. Artık kış iyiden iyiye yüzünü göstermeye başlamıştı. Kar ormanın içinde saçaklar yapıp gökyüzünü kaplayan ağaçlardan yavaşça yere dökülüyordu. Çeşmenin başında, hafif buz kesmiş ve azalmış suyun başında onun gelmesini beklemeye başladım.

Gördüğüm şey bir hayal dahi olsa onunla yüzleşip korku ve merak dolu geçen gecelerden kurtulmam gerekiyordu. Bir süre sonra ıssız yolun öte tarafındaki kayın ağaçlarının arasında onun siluetini yeniden görür gibi oldum. Beyaza bürünmüş doğanın içinde kırmızı elbisesi ve masmavi gözleriyle ağaçların arkasında koşan silueti bir görünüyor bir kayboluyordu. Ormana dalıp karların içerisinde yürüyerek onu aramaya başladım. Ben kovalıyordum, o ise ağaçların arasında bir görünüp bir kayboluyordu. Bu koşuşturmada kar ayakkabılarımın içine dolmuş, dizlerime kadar kara gömülmüştüm. Bir süre sonra bir ağacın dibinde göz göze geldik. Tam onu tutmaya çalışıyordum ki bir anda ayağım yerdeki orman güllerine takılıp çıktığım tepeden aşağıya doğru yuvarlanmaya başladım. Kafamı bir ağacın gövdesine çarpıp bayılmışım. Uyandığımda karşımda hayal meyal onun mavi gözlerinin parıltısını hatırlıyordum.

Bana gülümseyerek; "Seni bekliyordum. Nerelerdeydin?" dedi. Adeta bakışları karşısında büyülenmiştim. Gözlerinin deniz mavisi içme işliyordu. Saçları rüzgârla dalga dalga savruluyordu. Bir süre bakıştıktan sonra anlatmaya başladı. Söyledikleri şimdiye kadar hiç duymadığım şeylerdi. Ruha inanmayan ve bu tür şeyleri safsata gören benim gibi bir ateist için yaşadıklarım akıl almaz şeylerdi.

Üzeyir bir anda aklına bir ayrıntı gelmişçesine gözleri parıldayarak;

– Biliyor musun yüzbaşı, o kız bana yaşadıklarını anlatırken tam 238 yaşında olduğunu söyledi. Hatta 350 yaşında da bir annesinin olduğunu söyledi.

Atakan ne dediğini anlamamıştı:

– Kim o Haleda mı? diye, soruverdi.

– Haleda. İşte benim gördüğüm köylü kızı... Aslında daha yirmisinde gencecik bir kızdı. Ama gerçek yaşının 238 olduğunu söyledi.

Atakan bu sözler üzerine gayri ihtiyari gülümsedi.

– Gülme... Kendisi, bana kardeşinin yakın zamanda başlayacak olan büyük bir savaş için toplanan savaşçılardan olduğunu ve onun da ileri hatlarda vazife almak için Mezopotamya ovasına gittiğini söyledi. Ancak daha savaş başlamadan hatlarda muhtemelen esir alındığını ve ona ancak benim yardım edebileceğimi söyledi.

Atakan söylenenleri olanca sakinliğiyle dinliyor, olan biteni anlamaya çabalıyordu.

– Bana inanmıyorsun biliyorum Yüzbaşı. Ben de gördüklerimin bir hayal olduğunu düşündüm. Gördüğüm dünya güzeli kızdan söylediklerinin doğru olup olmadığına bir ispat, bir kanıt istedim. Bana kardeşinin gittiği yerlerde devam eden Megiddo adlı savaştan bahsetti ve askerî bir operasyonun özel kodlarını verdi. Bu bilgilerin gerçekliğini araştırmamı, eğer doğru ise ona inanmamı ve yardımcı olmamı istedi. Eğer söyledikleri doğru çıkarsa kendisine inanacağımdan bahsettim. Bana söylediği şifre ve kodların, Irak'ta Amerikan askerlerinin işgal sırasında direnişçilere karşı bir harekatın yer ve zamanını içeren kodlar olduğu bilgisini verdi. Askerî kodlar, "Felluca-23412 param 86-derbyy-lotus3" ve anlamsız birkaç söz dizininden başka bir şey değildi.

– Yani bu kodları o sana o köylü kız verdi, öyle mi?

– Evet, aynen öyle, eğer bu gizli bilgiyi doğrulayabilirsem ve dediği gibi Amerikalı askerlerin saldırı planlarını içerdiğini ispatlarsam onun varlığına inanacaktım. Bu da benim o anki mantığıma oturtabildiğim tek şeydi.

– Sonra neler oldu peki?

– Sonrasını pek hatırlamıyorum. Ormanda düşerken kafam ağaca çarptığından bayılmışım. Donma tehlikesi atlattım. Kalktığımda her yanım buz tutmuştu. Doğruca evin yolunu tutarak verdiği bilgilerin doğruluğunu araştırmak istedim. Bunun da tek yolu interneti kullanarak bilgiyi teyit ettirmekti. Evdeki bilgisayarımı kullanarak, o kızın verdiği kodların hepsini Amerikan gizli servsinin CIA, Mossad, BND ve ne kadar istihbarat ve askeri birim biliyor isem hepsinin internet sayfalarına mail olarak geçtim. Elektronik postada yazdığım sadece onun söylediği bana göre anlamsız rakamlar ve harflerdi.

Atakan tuttuğu notları bir kenara bırakıp elindeki dosyanın altında duran diğer sayfaları karıştırmaya başladı.

– Evet bunu biliyoruz. Biz de bu gizli askeri kodları barındıran bilgi için sana geldik. Senin mail olarak geçtiğin elektronik postadaki kodların, o günlerde Irak'ta Amerikan askerlerinin direnişçilere karşı yapacağı çok gizli bir operasyonun şifrelerini barındırdığı bilgisi bizim de elimizde var. Anlattığın hikâye inandırıcı olmasa da bu gizli bilgilere nereden ve nasıl ulaştığını üst düzey askerî birimler merak ediyor.

Üzeyir bir anda sinirlendi. Ayağa kalkarak masayı tekmeledi.

– Hikâye değil, hikâye değil, diye bağırmaya başlayınca arkadan sohbeti takip eden Atakan yüzbaşının emir astsubayı olaya müdahale edip Üzeyir'i tekrar masasına oturttu.

– Anlıyorum seni Üzeyir, sadece "Bu kodları nereden buldun?" diye sordum.

Üzeyir göğsü yerinden çıkacakmış gibi derin nefesler alırken, yavaş yavaş sakinleşip yavaşça anlatmaya devam etti.

– Diyorum ya size, o söyledi, Haleda. Amerikan Gizli Haber Alma Teşkilatı gönderdiğim elektronik postadaki bilgilerin devam eden Irak işgaline ait harekâtın proje alanı ve kodları olduğunu anlamış olacak ki, benim bu şifrelere nereden ulaştığımı öğrenmek için peşime düşmeleri uzun sürmedi. Oysa tek maksadım, ona inanmak için söylediklerinin doğru olup olmadığını teyit ettirmekti.

— Amerikan gizli servisinin, senin yolladığın elektronik postadaki bilgilerle ilgilendiğini ve peşine düştüğünü nasıl farkettin peki?

– Her ne oldu ise ondan sonra oldu yüzbaşı. Bir süre sonra takip edilmeye başladığımı farkettim. Siyah bir araba, iş yerime gelip gitmeye başladı. Bir süre sonra çalıştığım işyerinde, son zamanlardaki tutukluğumdan ve işe geç gelip gittiğimden dolayı bana süresiz izin verildi. O zamana değin kendi halinde ve mutlu sayılabilecek bir hayatım vardı. Mutlu idim, Galatasaray'ın Avrupa kupalarında bu sene başarısız olmasını saymaz isek, evet mutlu idim.

Süjesinin rahatlamış olduğunu espri yapmaya çalışmasından anlayan Atakan, sorularını sıklaştırmaya başladı.

– Mesela neler değişti hayatında?

– Hayatımda mı? Hemen hemen her şey bir anda altüst olmaya başladı. İlk fark ettiğim şey banka hesaplarım oldu. Çeşitli bankalardaki bütün hesaplarımla oynanmış. Birileri bilgilerime girerek bütün kredi kartlarımı boşaltmış. Durumu fark edip başvuruda bulunduğumda bankalar paralarımı geri alabileceğimi ancak incelemenin aylarca sürebileceğini söylediler. Bir anda beş parasız kalmıştım. Bankalara kredi için başvurduğumda bütün hesaplarımın 8 yıl geriye doğru incelemeye alındığı ve dondurulduğu söylendi. Çevremde paraları eğlencelerde, barlarda yediğim şaibeleri dolanmaya başladı. Sonraları bütün aile düzenim bozuldu. Arkadaşlarımı bir bir kaybetmeye başladım. İşe gitmiyordum. Günlerce evden çıkmadan, ümitsizlik içerisinde adeta büyülenmiş halde odamda oturup, o köylü kızı tekrar görüp konuşmak ve güzel gözlerine bakmak için bekler olmuştum.

Üzeyir bir süre suskunluktan sonra kendi kendine konuşmaya başladı.

"Bu aşk değildi. Evet, aşk değil. Anlamsız bir merak... Ya da bilemiyorum bir macera ama aşk değildi."

Atakan süjesinin ilgisinin dağıldığını anladığından hemen bir soru sorarak ilgisini kaybetmemek istedi.

– Peki, daha sonra da o köylü kızını görmeye devam ettin mi?

– Son zamanlarda odamdan çıkmaz olmuştum. Geceleri duvarlara boş boş bakarken bir anda karşımda beliriveriyordu. O saçları ve gözleri beni büyülüyordu.Ben ona bakarken, o sürekli kardeşinden bahsediyordu, onu bulmam gerektiğini ve düştüğü durumdan kurtarabilirsem, beni seveceğini ve yaşamım boyunca benimle birlikte olabileceğini söylüyordu.

– Seninle?

– Evet benimle. Deliye dönmüştüm. Ne dese inanacak gibiydim. İnandım da. Adeta bir hayal dünyasında yaşıyordum.

Aylar böylece geçti. Çalışmıyordum. Param bitmişti. En sonunda dayanamayıp çocukluk arkadaşım Ercan'a gidip borç para aldım ve Haleda'nın kardeşinin bulunduğunu söylediği yere doğru yola koyuldum. Uzun bir yolculuk sonunda kendimi Mardin'de bulmuştum.

– İstanbul'dan kalkıp ta Mardin'e kadar gittin yani.

– Evet. O da yol boyunca bana eşlik ediyor, bazen yanıma geliyor bazen kayboluyordu. Şehre vardığımda, taş oymalı derin merdivenleri olan bir yere kadar onun tarifiyle gittim. Hatırlıyorum, yokuşta bulunan bir evin yanına geldiğimizde, oraya girmenin kendisine yasak olduğunu ve bana eşlik edemeyeceğini, bundan sonrasını benim halletmem ve kardeşini kurtarmam gerektiğini söyledi.

Atakan söylediklerini bir bir not alıyordu.

– Tam olarak neresi idi burası?

– Bilmiyorum. Oraya nasıl gittiğimi dahi hatırlamıyorum. Köşe başında durup yoldan geçenlere karşıki evde kimin oturduğunu sorduğumda, Mizgin lakaplı oralarda meşhur bir hocanın evinin önüne geldiğimi anladım.

– Görüşebildin mi o hocayla peki?

– Evet, Evinin önüne kadar gelmişken dönmek olmazdı. İçeriye girip girmemekte tereddüt ettim ama artık içimde artan ızdıraptan kurtulmalıyım diyerek avludaki kapıyı araladığımda, geniş kubbeli bir odanın camlarından süzülen ışığın altında beyaz giyimli adamların zikir halkaları gibi dizilerek kendi çevrelerinde döndüklerini gördüm. Onlar da beni kapıda ansızın gördüklerinde şaşırdılar. Minberde oturan beyaz ve uzunca sakallı, yaşı bir adam gördüm. Bahsettikleri hocanın o olabileceğini düşünerek yanına gidip sadece Haleda'nın bana söylediği kardeşinin ismini söyledim: Semuyt.

İhtiyar hiç konuşmadı. Gözlerimin içine bakıp, yanında ayakta duran talebelerine el işareti ile karşıda duran kitaplığı gösterdi. Kitaplıkta duran siyah kaplı kalın defter, ağırlığından iki kişinin ucundan tutarak getirmesiyle hocanın önüne kondu. Hoca, defteri açıp yavaşça sayfalarda yazılan isimleri başparmağı ile yukarıdan aşağıya tarayarak göz atmaya başladı. Sanırım benim dediğim ismi bulmuş olacak ki, bir an gözlerime sert sert baktı. Sinirlendiği her halinden beliydi. Yanındakilere beni işaret edince, iki tane izbandut gibi adam kollarımdan tutup beni kapının dışına koyuverdiler.

Olanlara bir anlam veremeyerek hocanın yanına gelemeyen Haleda'yı bulmak için geri dönmeye karar verdim. Bir an önce ona kavuşup neler olduğunu anlamak isteği içerisinde yürüyordum ki, yolda siyah bir araba sol şeritten gelip beni şarampole yuvarladı. Ezilmekten son anda kurtulmuşum. Gözlerimi hastanede açtım. Başımı kaldırıma çarpıp bayılmışım. Bir müddet Mardin hastanesinden kaldıktan sonra bir uçakla beni İstanbul'a getirip bu deli hastanesine tıktılar.

Derin bir nefes çeken Üzeyir;

– İşte yüzbaşı, merak ettiğin hikâyem bu! dedi.

Atakan yüzbaşı, Üzeyir'in anlattıklarını en ince ayrıntısına kadar not alıyordu. Psikoloji teorilerine göre doğru yoldaydı. Aldığı notların kenarına "Swann tarafından ortaya atılan bu görüşe (self-verification theory) göre, bireyler kendi haklarındaki olumlu ya da olumsuz görüşlerini doğrulayan kişileri, böyle olmayanlara tercih ederler. Çünkü bireyler, diğerlerinin kendilerine karşı nasıl davranacaklarını öngörme ve denetleme isteğindedirler." ibaresini ekleyerek, altını kalınca çizip, not aldığı defterin sayfasını kapadı.

Atakan, doğru iz üzerinde olduğunu düşünüyordu. Vakit epey geç olmuştu. Bu günlük bu kadar bilginin yeterli olduğunu düşünerek müsaade istedi. Hastasını donuk gözlerle ormana doğru bakarken bırakarak bir an önce akşam randevusuna yetişmek istiyordu. Hastaneden çıkarken merdivenlerde başhekime denk geldi.

Başhekim gülümseyerek, biraz da Atakan'ın ne söyleyeceğinin merakı içerisinde söze girdi:

– Nasıl gidiyor? Semptomlar dediğim gibi değil mi? Basit bir şizofren vakası. Halüsinasyonlar. Ani depresif modüler davranışlar...

Başhekimin sorusu karşısında Atakan sadece gülümsemeyi tercih etti ve sessizce arabasına bindi. Kafası iyiden iyiye karışmıştı. Psikoloji biliminin verilerine göre düşününce, belirtiler, başhekimin koyduğu tanıya tıpatıp uyuyordu. Hayaller, kişilik bozulması, sosyal ortama ayak uyduramama ve sonunda şizofreniye yatkınlık. Peki ama, Genelkurmay'ın vaka ile ilgilenmesinin asıl sebebi olan gizli kodları içeren şifreler Üzeyir gibi konuya tamamen alakasız birinin eline nasıl geçmiş olabilirdi? Asıl sorulması ve cevabı aranması gereken meselede buydu.

Yanındaki emir astsubayı bütün konuşmalara şahit olduğundan, karargâha dönerken onun da fikrini almak istedi.

– Söyle bakalım astsubayım. Sence Üzeyir'in anlattıkları doğru mu? Senin tespitin nedir?

Astsubay ciddiyetini bozmadan

– Deli komutanım bence bu adam. Boşuna uğraşıyorsunuz, diye cevap vererek basit bir tanımlama yaptı.

Atakan, astsubayının net cevabına gülümserken elindeki son notları da siyah çantasının iç gözlerine özenle yerleştirmeye başladı.

-2-

Şebnem

Gün onu iyiden iyiye yormuştu. Arabasını kullanacak halde değildi. Karargahın bulunduğu Üsküdar semtinden karşıya vapurla geçmek istedi. Kafasındaki derin düşüncelerle evine vardı. Akşam sıcak bir duştan sonra Şebnem'i görev yaptığı üniversiteden alarak gece alışverişine çıkacaklardı. Onu şimdiye kadar annesi ve babası ile hiç tanıştırma fırsatı olmamıştı. Gerçi Şebnem'i tanıyalı bir sene olmuştu olmasına ama arkadaşlığının ilk dönemlerinin farklı gelişmesi bu tanışma merasimini geciktirmişti. Şebnem, Boğaziçi Fizik bölümünde araştırma görevlisi olarak çalışıyordu. Fiziksel teoremlerin değerlendirildiği ve Atakan'ın boş zamanlarında sıkça ziyaret ettiği bilim konferanslarının birinde tanışmışlar, daha sonra da arkadaşlıkları devam etmişti.

Önceleri içselliğinde sorunlu bir kişilik olarak gördüğü Şebnem'in ona olan ilgisi ve belki de ilgi duyma isteğinin kararsızlığı arasında gidip gelen Atakan, arkadaşının kolay anlaşılır tavırlarından ötürü ilişkisini sürdürme kararı almıştı. Bilimsel tezlerin konuşulduğu toplantılar bir süre sonra yerini şiir dinletilerine, Şebnem'in çok sevdiği doğa fotoğrafı çekme seanslarına, sonraları Boğaz gezintileri ve yakın arkadaşlığa dönüşüvermişti.

Bugün ona, güneydoğu görevine gitmeden önce Sarıyer'de oturan ailesi ile tanışmak istediğini söyleyecekti. Tepkisinin ne olabileceğini ve bu tanışmanın ilerisi için onların hayatlarında geleceğe bir adım daha atmak olduğunu biliyordu. Banyoda sakallarına baktı. Daha sabah traş olmuştu. Ama Şebnem'in karşısına kirli bir sakalla çıkmak istemediğinden yeniden traş olmaya karar verdi. Aynanın karşısına geçip yüzünü sabunladığında gördüğü yüzün bir an kendi yüzü olup olmadığını merak edermişçesine hızla jiletle köpüklü yüzünü temizlemeye çalıştı. Aldığı yeni görev onu çok yormuş ve hafızasını bulanıklaştırmıştı.

Güne dair hiçbir şey düşünmemeye karar verip kendini İstanbul'un gürültülü sokaklarına attı. İlk bulduğu taksiye binmesine rağmen yolda İstanbul'un yoğun trafiğine takılmıştı. Saatine baktığında randevu saatini yirmi dakika geçirdiğini fark etti. Nazik bir dille uyarmasına rağmen "Gidiyoruz ya beyim" diye kaba bir şekilde karşılık veren taksici canını sıktı. Günün hararetli koşuşturmacısının yanına bir de hiç sevmediği, randevuya geç kalma hadisesi eklenince, günün bütün velvelesi tekrar üzerine çullanıverdi.

Şebnem'i çalıştığı üniversiteden almaya geç kalıp oturduğu Bomonti semtine taksiyle yöneldiğinde, onu La Fame mağazasının önünde beklerken buldu. Arabadan hızla inerek yanına koştu ve

– Çok beklettim mi? diye sordu.

Şebnem'in her zamanki güleç tavrını ve olaylara karşı olumlu yaklaşımını seviyordu. Gerçi onun bu anlayışı zamanla geliştirmesinde kendinin de epeyce payı olduğunu biliyordu. Annesi ve babası küçükken ayrılan Şebnem'in çocukluk ruhunda bu olay olumsuz bir içsellik geliştirmişti. Ruh yapısındaki çöküntü Şebnem'in okuldaki başarısını artırırken, daha içine kapanık, sosyalleşme sorunu olan mutsuz bir gençlik hatırası bırakmıştı. Tanıştıklarında içe dönük yaşayan bu zeki kızın duruşu dikkatini çekmiş, Atakan da aldığı psikoloji eğitimi sayesinde onun yeniden hayatla barışması için çaba harcamıştı. Sonunda bu çabalar Şebnem'i daha mutlu, Atakan'ı ise iyi bir arkadaş sahibi yapıvermişti.

Kıvırcık saçları mor atkısına dolanmış halde, üşüdüğü burnunun ucundaki kırmızılıktan anlaşılan Şebnem, gecikmeyi iyi bir dille savuşturmak istedi.

– Hayır, seni beklerken ben de mağazada bir şeyler bakıp çıkmıştım ama bu geceki seminere geç kaldık sanırım.

İkisi birlikte, Nişantaşı'nda, çeşitli bilim adamlarının kuantum fiziği ve nano teknolojinin ekonomiye katkılarını tartışacakları seminer salonuna doğru yola koyuldular. Geç kaldıklarından seminerin verildiği salonun arka koltuklarına geçerek konuşmacıları dinlemeye başladılar. Her zaman seminer konuşmacılarını pürdikkat dinleyerek çeşitli notlar alan Atakan'ın dalgın hali, Şebnem'in dikkatinden kaçmadı. Seminere ara verildiğinde, bekleme salonunun kafe olarak ayrılmış bölümünde bir şeyler içmeyi teklif etti. İkisi beraber seminerin bitmesini beklemeden dinlenme salonuna geçtiler.

Masaya kahveler geldiğinde Atakan sigarasını yakarak suskun bir şekilde oturmaya devam etti. Şebnem az çok arkadaşını tanıdığından olsa gerek, ondaki durgunluğun farkına vardı ve;

– Bir sorun ya da aksi bir durum mu var? diye sormaktan kendini alamadı. İş konularını Şebnem ile hiç konuşmayan Atakan, o gün yaşadıklarını birisi ile paylaşma ihtiyacı içerisindeydi. Sanki hafızasında dolanan binlerce düşünceyi anlatmasa, ruhu daralacak gibi hissediyordu. Bu sefer bütün kuralları yıkarak, tek ve en yakın arkadaşıma açılmalıyım diye düşündü.

Sigarasını efkârlı bir şekilde söndürürken;

– Şebnem… Ben sıkıldım. Seminerin ikinci bölümüne katılmasak... Hem daha alışverişe gideceğiz, dedi

– Peki, ama senin bana söylemediğin birşey var sanırım.

Salonda Epica' nın Instılos parçası hafiften yayılırken müziğin akustik nağmeleri Atakan'ın çalkantılı ruhunu biraz olsun dinginleştirmeye yetti. İçindeki bunalımı biraz rahatlatma adına Şebnem ile yaşadıklarını paylaşmak arzusundaydı.

– Bugün Bakırköy Ruh ve Sinir Hastalıkları Hastanesindeydim, deyiverdi.

– Geçmiş olsun bir sorunun mu var?

– Hayır, iş için gittim ama garip işte, diye ekleyince Şebnem meraklı gözlerle bir açıklama bekledi. Atakan ağzında lafı biraz da geveleyerek;

– Bir hasta ile görüşmem istendi. Ben de gittim görüştüm.

– Görev gereği yani. İyi işte, memnun ol. Psikolojide doktora yapmaya mı karar verdin yoksa?

– Hayır, hayır... Sadece bir iş… Bir hasta ile tanışmak için oradaydım… Hayaller ve sanrılar gören birisi.

– Bunun senin işinle ne alakası var ki? Artık çalıştığın kurum, sivillerin ruhsal durumları ile de mi uğraşmaya başladı?

– Yok, sadece bir denek ya da bir hasta, bilmiyorum. Aslında kafamın karışıklığı biraz da o yüzden. Onunla ilgili tahliller yapıp bilgi toplamam istendi. Ama pek beceremedim sanırım.

Atakan yarım yamalak bir gülümseme ile bunları söylerken, yüzündeki o günün getirdiği şaşkınlık ve donukluk ifadesi kaybolmamıştı.

Şebnem Atakan'ın askerî konularda çalıştığını bildiğinden, daha fazla açıklama yapmasına yol açmamak için meraklansa bile aklındaki soruları sıralamadan konuyu değiştirmeye karar verdi.

İleriki haftalarda yapılacak olan bilimsel toplantıda aile kavramı üzerindeki etkilerin tartışılacağına ilişkin bilim vakfından almış olduğu broşürü gösterdi. Sonra konuyu, ilk tanışmalarından bugüne kadar arkadaşlıklarının devam etmesine getirdi. Atakan tam da konusu gelmişken yeni görev yerine gitmeden hafta sonu Şebnem'i ailesi ile tanıştırmak istediğini söyledi. Tanıştıkları bir yıla yakın zamandır ailesinden hiç bahsetmeyen Atakan'ın doğuya tayini çıktığı bu günlerde giderayak ailesi ile kendisini tanıştırmak istemesi Şebnem'in çok hoşuna gitmiş, biraz da heyecanlandırmıştı. Cuma günü için sözleşerek kafeden çıktılar ve alışveriş yapmak üzere mağazaların bol olduğu Beyoğlu İstiklal caddesine doğru yürüdüler.

Atakan yeni görev yerinde yerleşeceği lojmanındaki evi için alışveriş yapmak istedi. Geçen hafta Şebnem'e doğum gününde güzel bir altın kolye hediye etmişti. Şebnem de bu inceliğin altında kalmamak için, bu alışveriş bahanesiyle Atakan'a beyaz bir mont almayı uygun buldu. Başkalarından pek hediye almaya alışık olmayan Atakan, Şebnem'in bu inceliğinden dolayı çok mutlu oldu.

Ertesi gün Atakan, Şebnem'in hediye etmiş olduğu yeni beyaz montunu sırtına geçirip karargâha uğramadan hastanenin yolunu tuttu. Sivil bir kıyafetle hastasının karşısına çıkarsa Üzeyir ile daha iyi diyalog kurabileceğini ve onu rahatlatacağını umuyordu.

Üzeyir'in karmaşık durumuna karşı basit bir psikolojik taktik geliştirmişti kafasında. Sağlıksız ve istenmeyen davranışlar üzerine yoğunlaşıp, ödüllendirme, olumlu davranışları pekiştirme ve olumsuz davranışları elimine etme sistemiyle hastasının yapısını çözebileceğini düşünüyordu. Elimine etme işlemiyle hastasında rahatsızlık, korku ya da sıkıntı yaratan durumları göstermek ve bu olaya bağlı olarak ortaya çıkan tepkileri ortadan kaldırarak onu anlamaya çalışmak, Üzeyir'in ruh halini dengelemesinde yardımcı olabilirdi.

Raporu hazırlamak için fazla vaktinin kalmadığını biliyordu. Bir an önce hastasının ruhundaki saplantıları bulabilirse konuya açıklık getirip raporunu o doğrultuda generale sunabilirdi. Notları üzerinden Üzeyir'in aile yapısını incelediğinde, yalnız yaşayan ve çevresi ile sorunu olmayan içe kapanık bir tip olduğunu görmüştü. Annesi ile bağlarının oldukça kuvvetli olduğunu ve aileye bağlı bir gelenekten geldiğini ve annesinin bakımını üstlendiğini biliyordu.

Yıllar önce Karabük'te maden işlerinde mühendis olarak çalışırken göçük altında kalmasının onun psikolojisi üzerinde derin yaralar bırakabileceğini ve bu tür vakalarda belirtilerin güçlü kişiliklerde uzun zaman sonra farklı şekiller göstererek açığa çıkabileceğini düşündü. Başından geçmiş kötü bir tecrübe ya da yalnızlık psikolojisi, bastırılmış ve düzenli bir hayatı koruma ve bozmama eğilimleri belirli bir süre sonra güçlü kişiliğinden sıyrılarak onu tamamen tanınmaz, saldırgan bir hale getirmiş olabilirdi. Hastasının saldırgan ve halüsinasyonlara açık durumuna geçerli bir sebep bulabilmişti. Ama onu asıl ilgilendiren konu, askerî gizliliği olan bilgilerin, böylesi bir paranoya içerisinde olan bu kişinin eline nasıl geçebildiğiydi? Çalışmalarında iş bu soruya geldiğinde cevapsız kalan birçok açık nokta görünüyordu. Not aldığı defterde Üzeyir'in söylediği gizli kodların yazıldığı sayfayı kalemi ile kocaman bir yuvarlak içerisine alarak üstüne de bir soru işareti koydu.

Hastaneye vardığında öncelikle başhekimle görüşüp ilk konuşmanın izlenimlerini aktararak onun da fikrini almak istedi. Hastasının ilk aşamada şizofren olabileceğinden çok anksiyete bozukluğu yaşayan, iş ve rahat ortamını kaybetme telaşı ile içten içe kendini yiyip bitirmiş olabileceği bulgularını destekleyen birtakım psikobiyolojik testlerin yapılması için başhekime ricada bulunmak istiyordu. Yapmayı düşündüğü biyolojik testler hastasının beyin nöronlarındaki hormonal azalmaları tespit edebilir ve araştırması için bir aşama kat etmiş olabilirdi.

Bu düşünceler içinde odasına yöneldiğinde başhekimi piposunu yakmaya çalışırken buldu. Hastasının üzerinde yapmak istediği biyolojik testlerden DSM III, DSM III-R ve DSM IV' ün tanı kriterlerinden söz edip, bunların süjeyi tanımasında daha doğru bir tespit için gerekli olduğunu anlattı. Başhekim ise söylediklerine kayıtsız bir halde bir türlü tüttüremediği piposunun tütünü ile uğraşıyordu. Bir ara gözlerini kaldırıp Atakan'a baktığında;

– Boşuna uğraşıyorsun yüzbaşı. O bir şizofren hastası. Vakada bahsettiğin türden tetkiklere gerek olmadığını düşünüyorum, diyerek kestirip attı.

Yüzbaşının ısrarcı gözlerle ona baktığını gördüğünde ise piposunu bir kenara bırakan başhekim, spesifik anksiyete bozuklukları ile bağlantılı olarak birçok beyin görüntüleme çalışmasına gerek olmadığını ileri sürerken, birçok psiko teknik bilgileri Atakan'ın yüzüne saymaya başladı.

Üzeyir'de görülen halüsinasyonların ve hastanın kurgusunun buna gerek duyulmadan tanı ve tedavisinin yapılabileceği kararından bahsetti. Teknik terimlerle konuşan başhekim bir yandan da eski yüksek lisans öğrencisinin konuya yatkınlığını sınamak istemişti.

Atakan, başhekimin hasta üzerindeki sabitleşmiş tanısı nedeniyle, konusu üzerinde yapmayı düşündüğü psikobiyolojik testleri uygulamasının mümkün olmadığını anlamıştı. Kendisi de Üzeyir'i tedavi etmekten çok başına neler geldiğini anlamak için en iyi yolun sadece onunla konuşarak bilgilerini sorgulamak olduğu kararına vardı. Üzeyir'i görmek için başhekimden müsaade isteyerek hastaların bulunduğu bölüme giden uzun koridora doğru yöneldi.

Pencereden baktığında yağmurun iyiden iyiye hızını arttırdığını fark etti. Öğlen vakti olduğu için hastanenin koridorlarında kimsecikler yoktu. Üzeyir'in bulunduğu hasta bölümüne giderken koridorun yeşil parlak zemin üzerinde rugan ayakkabılarının sesi duyuluyordu. Bir ara tuvaletlerin olduğu bölüme geldiğinde "Buraya gel" diyen ince ve derinden bir ses geliyormuş gibi kulağına çalındı. Bir an durarak sesin olduğu tarafa baktı ama kimseyi göremedi.

– Kim var orada? diye seslendi.

Dinledi. Ancak o yönden ses çıkmıyordu. Lavaboların olduğu kısma girdiğinde, kapılara hastalar tarafından yazılmış olduğunu düşündüğü garip yazılar ve komik birkaç sözden başka bir şey göremedi.

En son tuvalet kapısının olduğu bölümden hafif sesler geliyordu. Yavaşça, adeta ayaklarının ucuna basarak oraya doğru yöneldi. Kapıyı açtığında içeride simsiyah bir kedinin tuvaletin havalandırma camından içeriye girdiğini ve dik gözleriyle ona baktığını gördü. Ürkmüştü. Simsiyah kedi, kendini korumak için çıkardığı garip seslerle bir anda klozetin üzerinden insan boyu kadar zıplayarak açık olan pencereden atlayıp kayboldu. İçeriye yağmurun girmemesi için camı sıkıca kapatarak kilidin normal olup olmadığını yokladı. Garip hisler içinde, hastasıyla görüşmeye geç kalmamak üzere yoluna devam etti.

Koridorun sonunda iri kıyım bir hastabakıcı onu karşıladı. Doğu şivesiyle konuşan adam:

– Kiminle görüşecektiniz? diye sordu.

– Dün de gelmiştim. Üzeyir Kaman ile görüşecektim, diyerek başhekimlikten aldığı izin belgesini gösterdi.

Belgeye göz kestiren hastabakıcı, Üzeyir'in de bulunduğu saldırgan özellikteki hastaların kaldığı bölümün kilitli kapsını açarak onu içeriye aldı.

Hücre tipi dizayn edilmiş tek kişilik odaların kapılarındaki küçük camlarından zar zor içeriye bakarak Üzeyir'in bulunduğu yeri bulmaya çalıştı. Odasına girdiğinde Üzeyir'i yüzünü duvara dönmüş elinde bir ağaç parçası ile oynarken buldu. Onun yaptığı her hareketi ve söylediği her sözü bir bir not etmenin, raporunu şekillendirmesine yardımı olacağını biliyordu. Üzeyir sanki onun geldiğini anlamış gibi, Atakan'ın birşey demesine fırsat vermeden:

– Daidalos'u bilir misin? diye lafa başladı.

Yatağının yanında duran demir iskemleye kıvrılan Atakan yüzbaşı, Üzeyir'in sözlerinden bir şey anlamamış, çantasından not defterini çıkarmaya uğraşıyordu. Üzeyir devam etti:

– Yüzbaşı, Daidalos ilk tanrı heykellerini yapan heykeltıraştır, derken, gülümseyerek elindeki tahtayı bir o yana bir bu yana çeviriyordu.

– Biliyor musun bu tahtayı o çeşmenin yanındaki kayın ağacının yanında bulmuştum, diyerek sustu. Gözleri hep o şekilsiz tahtadaydı. Kısa süreli sessizlikten istifade ederek kalemi eline alan Yüzbaşı, not defterine "Daidalos ve kayın ağacı dalı" diye ekledi.

Suskunluğun ardından Üzeyir konuşmaya devam etti.

– Daidalos, sadece heykeltıraşlıkta değil, diğer becerilerde de ön sıralardaymış. Çeşitli marangoz aletlerini icat etmenin yanısıra, o devirde sadece kürek kullanılırken, onun yelkenle denizlerde daha hızlı ilerlemesi şöhretine şöhret katmış. Şöhret kötü bir şeydir biliyor musun?..

Atakan, hiç yanıt vermeden dinlemeyi tercih etti.

– Bak komutan, o sıralarda yeğeni Talos meslek öğrensin diye çırak olarak yanına verilmiş. Gel zaman git zaman Talos da en az dayısı Daidalos kadar mesleğinde ilerlemiş. Bir gün kırda dolaşırken bulduğu yılan çenesini marangozluk aleti olarak kullanmayı tasarlamış. Bu doğal aleti daha da geliştirerek, testereyi icat etmiş. Bu aletin keşfi, "boynuzun kulağı geçmesi" gibi onun dayısını bu sanatta geri bırakmasına yol açmış. Bu duruma tahammül edemeyen Daidalos, kıskançlık kriziyle yeğenini Akropol'den aşağıya atarak öldürmüş.

Üzeyir kelimeleri bir bir sıralarken farklı bir tonla sesini değiştirerek, Atakan'ın oturduğu sandalyenin ucuna tutundu.

– Dün gece bir şeyler gördün mü yüzbaşı? Bana inandın mı?.. diye sordu.

Atakan gece traş olurken aynanın karşısındaki irkilmesini hatırladı. Ancak bu detayı anlatmak gelmedi içinden ve sessiz kalmayı yeğledi.

– Görmesen de göreceksin yüzbaşı. Bunu sen istedin. Hiç bu işe bulaşmayacaktın. Artık sırrımı biliyorsun. Merak etmeyecektin. O sana da gelecek. Ama şunu bil ki, o benim kadınım. Bana ait. Sen de beni anlamak isterken Daidalos gibi ruhumu denize atmaya çalışma sakın. Ben yüzme bilirim ve ben Talos da değilim, bilmiş ol!

Hareketleri, konuşmaları çok garipti. Daha saldırganlaşmış ve durağan tepkilerin yerini hiperaktivite belirtileri almıştı. Atakan bu durumdan korkmuştu. Defterine o günün tarihini yazarak "Bugün Üzeyir ilk görüşmesinden daha gergin ve sinirli" diye not düştü.

Verilen sakinleştirici ilaçların kendi emriyle tamamen kesilmiş olması nedeniyle hastasının üzerindeki saldırganlık hâli artmış olabilir miydi? Yatağının yanında duran hasta kartlarını karıştırdığında, Üzeyir'e hastaneye yattığından bu yana verilen ilaçların dozlarının yüksek olduğunu gördü. Bu tür ani ilaç kesilmesinin hastayı asabileştirebileceğini bildiğinden, daha temkinli sorular sormalıyım diye düşündü.Sakinleştirici ilaçların kesilmesiyle bugün ve ileriki günlerde karşısında gerçek kimliğinde bir Üzeyir olacaktı. Uyuşturulmuş bir süje ona raporunu hazırlaması için yardımcı olamazdı. İçinden, "Güzel bir gelişme" diye geçirdi.

– Bugün daha iyisin Üzeyir. Şimdi seninle açık konuşmak istiyorum. Senin gördüklerin bizi çok fazla ilgilendirmiyor. Biz, gizli askerî haberleşme şifrelerini nasıl bulduğunu ve neden Amerikan istihbarat birimlerine bu şifreleri yollama ihtiyacı hissettiğini merak ediyoruz.

Üzeyir sanki Atakan'ın dediklerini hiç duymuyormuş gibi,

elindeki tahta parçasını devamlı döndürüp duruyordu.

– Bak yüzbaşı, sana dün de söyledim. Ben de askerî vazifemi asteğmen olarak Ankara'da, muhabere birliklerinde yaptım. Oradaki tecrübelerimden az çok haberleşmedeki şifreli kodların ne işe yarayacağını ve birliklere nasıl gönderildiğini biliyorum. Ben o şifreleri sadece Amerikan askerî kaynaklarına değil bana yanıt verebilecek birçok askerî birime yolladım. Amacım sadece o köylü kızının varlığına ve sözlerine inanmaktı. Eğer gerçekten birisi dediklerimle ilgilenecek olursa, Haleda'nın varlığına inanacaktım. Benden başkaları da onun varlığına şahit olabilirdi. O kodları bilgisayarımdan elektronik posta yoluyla gönderdiğim kurumlardan sadece Amerikalı olduklarını düşündüğüm kişiler ilgilendiler. Ya da ben onlar olduğunu düşünüyorum.

Bir sürelik sessizliğin ardından "Ve bir de siz tabiî ki..." diye ekledi.

– Onların seninle ilgilendiğini nereden biliyorsun?

– İşyerime daha işten çıkarılmadan önce bir inceleme bahanesiyle gelen maden mühendisleri Amerikalı'ydı. Amerika'dan gelen uzmanların çalıştığım firmanın sahipleriyle görüşmesinden sonra, son zamanlardaki dikkatsizliğim, dağınıklığım bahane gösterilerek işten uzaklaştırıldım. Aynı günler, banka kartı şifrelerim çalındığında, Amerika'da bulunan paravan bir şirket tarafından sahtekârlığın gerçekleştirildiğini daha sonraları savcılık kanalıyla öğrendim. Ama bütün paralarım, hatta olmayan paralarım da kredilerimle beraber buhar olmuştu. Evime hırsız gibi girilerek bütün eşyalarım karıştırılmıştı... Hayatım bir anda alt üst oldu.

– Peki ya bu kadar dağıtmanın, hayatını bir hiç uğruna mahvetmenin sebebi sadece bu mu?

– Sanırım evet. İçkiye verdim kendimi sonraları. Bir gece sarhoşken yaptığım kazada, bana çarpıp kaçan siyah bir arabanın içinden atılan ve kazanın olduğu yerde bulduğum bir kibrit kutusunu saklamıştım. Daha sonra araştırdığımda o kibrit kutusunun Amerika'da New Jersey'de küçük bir motelden alındığını öğrendim. Bunların hepsi tesadüf olamaz.

Bir anlık sessizlikten sonra, "Daha fazlasını da ister misin?" diyerek Atakan'ın üzerine doğru yürüdü. Sinirlenmişti.

– Bana herkes deli gözüyle bakıyor farkındayım, ama ben deli değilim. Buraya beni neden tıktıklarını da bilmiyorum! Ben sadece Haleda'nın dediklerinin doğru olup olmadığını anlamak için o şifreleri yollamıştım ve hâlâ onun kardeşi Mizgin Hoca denilen herifin elinde esir.

Gözlerini kocaman açarak;

– Bana yardımcı ol komutan, dedi.

Hızla üzerinde durduğu yataktan fırlayarak Atakan'ın sandalyesine tutunup kulağına eğildi:

– Bana yaşadığı ormandan geliyor. Bu gece de ziyaretime geldi ve.. kardeşini mutlaka kurtarmam gerektiğini söyledi. Anlıyor musun? Anlıyor musun? Beni bu tımarhaneden çıkar. Semuyt'u Mardin'deki Mizgin Hocanın elinden kurtarmam için yardımcı ol!..

Üzeyir sözlerini tamamlarken bir yandan büyük bir hırsla duvarlara vurmaya başladı. Atakan onu sakinleştirmek için telkinde bulunmaya çabalıyordu.

– Sana inanıyorum Üzeyir. Sana inanıyorum. Fakat neden onun kardeşini kurtarmak istiyorsun. Buna mecbur musun?

Üzeyir'in bağırıp çağırmalarını duyan görevli içeriye girdi.

– Bir sorun var mı? diye sordu. Atakan sakin bir sesle:

– Hayır, konuşuyoruz sadece. Herhangi bir şey yok, dedi ve hastabakıcıyı odadan çıkarıp Üzeyir'e döndü.

– Böyle yaparsan anlaşamayız seninle.Şimdi sakinleştin mi?

Üzeyir nefes nefese kalmış halde, evet dercesine başını salladı.

– O sarı saçlı kızı, Haleda'yı çok seviyorum komutan, ve onun mutsuz olmasına müsaade etmeyeceğim. Mardin'de o keçi sakallı hoca beni dinlemeyip kapı dışarı etti. Onu da adamlarını da bulup hepsini öldüreceğim ve Semuyt'u ellerinden kurtaracağım.

Semuyt'u elinden kurtarmak için bahsettiği Mizgin Hoca isimli kişiyi daha önce notlarına ekleyip eklemediğine bakıp, hastasını dinlemeye devam etti.

Üzeyir'in bilgisayar kullanmayı seven, entelektüel ve yalnızlaşmış bir kişilik olduğu kanaati güçleniyordu Atakan'ın. Konuşmaları esnasında aldığı cevaplara bakarak, grizu patlaması sonucu maden ocağında mahsur kaldığı birkaç günlük endişe verici beklemenin, onun bilinçaltını tetikleyerek varolan şizofren duyguları açığa çıkardığı kanaatine ulaştı.

Üzeyir'in evindeki ve işyerindeki bilgisayar ve internet kayıtları daha önce askerî birimler tarafından incelenmişti. Belli ki son zamanlarda fazlaca internete girmiş ve iç dünyası bilinmez bir boşlukta kaybolmuştu. Üzeyir'in sanal alemde sarfettiği onca vakit sonucu bazı sitelerden askeri şifreleri bir şekilde elde ettiğini ve anlattığı hikayeyi bilinçaltında kendi yalanına inandırmak için bir delil olarak kullandığı kararına vardı. Psikoloji hususundaki bütün okumaları, deneyimlerinde ulaştığı neticeyi güçlendiriyordu. Sonra, yılların başhekiminin tanısına katılmaktan başka da yapacak bir şeyi yoktu.

O gün iyice hırçınlaşan Üzeyir'i odasında yalnız bırakarak hastaneden ayrıldı. İşini yapmanın ve böylesi karışık bir konuda en azından akla yatkın bir sonuca ulaşmanın verdiği mutlulukla raporuna koyabileceği bütün doneleri derlemek için karargâhın yolunu tuttu. Yaptığı çalışmanın neticelerini ve Üzeyir Kaman hakkındaki bütün düşüncelerini takside yol alırken yeniden gözden geçirdi.

Karargâha yorgun argın vardığında elde ettiği verileri düzenleyerek, generale sunacağı raporu bilgisayarında özenle yazmaya başladı. Üzerinde "çok gizli" yazan kırmızı renkli mührü vurarak elindeki raporu sarı zarfa yerleştirdi. Benliğinde verilen emri layıkıyla yapmamaktan ötürü hiçbir şüphe kalmamış olmasına rağmen bir an önce raporu sunması gerektiğinin farkındaydı. Kendince bütün soruların yanıtlarını bulmuştu.

Hastalığın teşhisi ve askerî kodların ele geçirilmesi hususunda bu kadar incelemeyi yeterli bulmuştu. Ancak hâlâ içindeki huzursuzluğun sebebini kendine ifade edemiyordu. Odasında gizli gizli bir sigara yakarak olayı baştan sonuna kadar yeniden düşündü. Aynanın karşısına geçip elini aynaya doğru götürerek "var", elini aşağıya indirdiğinde "yok" diyordu. Bu anlamsız hareketi birkaç kez tekrarladı. "Kişi varlığı onaylayan bir nesne ise nesnenin yokluğu varlığın olmadığına işaret edemez" diye düşünürken, "Üzeyir'in anlattığı cinler, şeytanlar, görünmeyen varlıklar var mı acaba?" fikri geçti zihninden. Kafası bulanmıştı. Bir süre sonra bu anlamsız düşüncelerden sıyrılarak yarısına kadar içtiği sigarasını küllüğe hızla bastırarak söndürdü. Elde ettiği bulguları içeren soruşturma evrakını general o gün karargâhta olmadığından emir subayına bilgi vererek, son kalan eşyalarını toplamak üzere odasına döndü. Masasının üzerindeki özel eşyalarını kutuya doldururken içini bir hüzün kaplamıştı. Beş sene görev yaptığı, birçok sevinci, mutluluğu, yorgunluğu yaşadığı mekana son bir kez bakıp "Elveda İstanbul" diyerek kapıyı kapadı.

Karargâhtaki son görevinde, İstanbul'da iken edindiği psikiyatri uzmanlığının en azından bir işe yaramasının sevinci içerisinde, Şebnem'i üniversiteden almak için Beşiktaş'a doğru yola koyuldu.

Yolda giderken onu yarın ailesi ile tanıştırma fikrinin doğru olup olmayacağını düşünüyordu. Ama bir süre sonra İstanbul'u terk edeceğinden dolayı Şebnem'in bu koca şehirde yalnız kalmasına gönlü razı değildi. Şebnem'in kötü bir çocukluk geçirmiş olmasının ruhunda bıraktığı derin izleri belki de onu bir aile ortamına sokarak hafifletebileceğini umuyordu. Nitekim annesi ve babası da dünya tatlısı, uyumlu insanlardı. Yeni gideceği şehir bir ay önce ona tebliğ edilmiş ve şansına Mardin ili çıkmıştı. Ülkenin o kesimine şimdiye kadar hiç işi düşmediğinden, hakkında pek bir bilgisi yoktu. Gerçi görev yeri belli olunca, bölgede daha önce görev yapmış asker arkadaşlarından ve internet vasıtasıyla şehirle ilgili az çok bilgi sahibi olmuştu. "Acaba gittiğim yerde nelerle karşılaşacağım" diye iç geçirdi... Bu belirsizlik içten içe aşikâr olan huzursuzluğunu arttırıyordu. Bu yoğun düşünceler Şebnem'in üniversitenine kadar yakasını hiç bırakmadı.

Şebnem'i yanına alarak yakın bir yerdeki güzel bir Çin lokantasına gittiler. Şebnem'in hayatının ne kadar zor geçtiğini ve mücadelesinin onun ruhunda yıkılmaz kaleler oluşturduğunu biliyordu. O kalelerin surlarına ulaşabilmek bir yılını almıştı. Bu bir yıl içerisinde ona dair hemen her şeyi öğrenme fırsatı olmuştu. Tanıdığı insanların içerisinde en çok kendine güvenen ama bu güveni karşısındakini ezmek için kullanmayan bir ruh yapısına sahipti.

Yarın onu ailesi ile tanıştıracaktı. İlk anda tedirginlikle karşılasa da bu fikir Şebnem'in çok hoşuna gitmişti. Tanıdığı süre boyunca ailesinden pek söz etmeyen Atakan'dan böyle bir teklif gelmesi gerçekten çok önemliydi onun için. Atakan yemekte gelecekteki planlarından bahsedecekti ki Şebnem'in üniversiteden arkadaşı olan Penolope içeri girdi. Şebnem'i masada otururur görünce bozuk Türkçesiyle

—Yanınıza oturabilir miyim? dedi.

Avusturya asıllı ve her hali ile batı kültürünün rahatlığını taşıyan bu bayan, ikisinin yanına oturarak ortama dâhil oldu.

Şebnem Amerika'dan bu dönem fizik laboratuarında ortak çalışmalara katılmak için gelen arkadaşını Atakan ile tanıştırdı. Yemek esnasında Penolope Alp dağlarındaki çocukluk anılarını anlatırken, Atakan ise annesi ve babasının Şebnem'i nasıl karşılayacaklarını düşünüyordu. Aslında Atakan son kez başbaşa bir yemekte buluşmak istemiş ve Şebnem'in sohbetinin rahatlatıcı iksiriyle biraz olsun huzur bulacağını düşünmüştü. Ama bu düşüncesi de gece boyunca onlara eşlik eden Penolope sayesinde suya düşmüştü. Huzursuzdu.

Gece Şebnem'i evine bırakıp, askeri lojmanların olduğu Levent'e gelene dek trafikte geç kaldığından erken yatamayan Atakan, sabah uyanmakta da zorlandı. İşe geç kalacaktı ki, Şebnem'in telefonuyla uyandı.

Telefondaki ılık ve tebessüm dolu ses, akşam gidecekleri yemek için teyit istiyordu.

– Akşam saat kaçta buluşalım?

– Bu gün işten erken ayrılacağım Şebnem. Çıktığım gibi ben seni ararım...

Şebnem'i ailesiyle tanıştıracak olmanın sevinci içerisinde elbiselerini giyinmeden önce duşa girip hızla işine yetişecekti. Bugün, hazırladığı raporu generale sunacağından sakal traşını daha bir özenle olmaya çalıştı. Bornozuna sarılıp yatak odasına, asker üniformasını giymeye gidiyordu ki salonda bir ses duydu. Yavaş adımlarla giderek içeriye baktı. Odadaki tüm eşyalar yerli yerinde, kapılar da kapalıydı. Her şeyin normal olduğunu düşünüp tekrar giyinmeye devam edecekti ki, kitaplarının olduğu bölümde duran ve annesinin hediye etmiş olduğu içinde sallayınca içinde kar tanelerinin uçuştuğu fanusun yere düştüğünü fark etti. Yıllardır çalışma masasının üzerinde duran bu hediyeliğin nasıl olup da devrilmiş olabileceğini düşündü. Acaba dün gece uyumak için kitap alırken dirseğim çarpmış olabilir mi diye düşünerek fanusu yerine düzgünce koyup giyinmesine devam etti.

Karargâha sabahın erken saatlerinde vardı. Tekmil için tören alanında diğer subaylarla bir müddet bekledikten sonra yukarı, karargâha çıktı. Hazırladığı Üzeyir Kaman dosyasını tekrar gözden geçirerek generalin emir subayına kendine randevu yazdırdı. Odasında generalin sekreterinden gelecek telefonu beklerken, içinden, Üzeyir vakasıyla ilgili yanlış bir kanıya varmadığı hususunda kendini ikna etmeye çalışıyordu. Psikoloji üzerine okuduğu bütün dersler, anti sosyal kişilik bozukluğu neticesinde ortaya çıkan ve devamında aşırı stres ve yorgunluğun geçmişten gelen bir takım korkularla birleşmesiyle şizofrene dönüşen bir vaka ile karşı karşıya olduğunu söylüyordu. Bu mantık silsilesinde en zayıf halka ise asıl araştırmasının sebebi olan gizli askeri kodları Üzeyir'in nasıl bulduğu sorusuydu. Daha önce askeri istihbaratın yaptığı ev ve işyeri incelemelerinde, aşırı bilgisayar bilgisine bağlı bir tesadüfî bulgu olabileceği ile şüphelerini gidermeyi yeğlediği raporu komutana sunmak için beklerken telefon çaldı.

General karargâhtaki günlük olağan diğer işlerini bırakıp ilk randevusunu konunun aciliyeti dolayısıyla ona vermişti. Atakan dosyasını generale sunarken sonuç bölümünü inceleyen komutanın yüzündeki mimikleri kaçırmamaya çalışıyordu. Yüzünde belirebilecek bir memnuniyetsizlik veya tebessüm ifadesi kısa zamanda yapmış olduğu çalışmanın başarısını ortaya koyması açısından önemli bir ipucu verebilirdi. Çatık kaşları ve asık suratı ile masanın karşısında oturan komutan ise, yüzünde onca askerî tecrübenin birikimiyle renk vermeden oturuyordu. Dosya içindeki notları hızla çevirip sayfaları atlayarak sonuç bölümünü okuduktan sonra Atakan'a döndü.

– Elde ettiğin bulguların sonucundan emin misin yüzbaşı? Müttefiklerimizin askerî kodlarının bu şahsın eline geçmesi sadece bir tesadüf mü yani?

– Komutanım konuya sizin de dosyada belirttiğiniz üzere süjenin psikolojik durumunu incelemek için dâhil oldum. Kısa zamanda elde ettiğim bulgular üzerine hastane yönetiminin teşhislerini de ekleyerek, hastanın nöbetler sonucunda inisyon sürecinde katarsis bir anında hafızasında gördüğü ya da daha önce şahit olduğu şeyleri hatırlaması gibi görünüyor. Hastanın anlattıklarının psikoanalatik çözümü bizi bu sonuca ulaştırdı. Bir nevi şizofren düşüncelerin kendini haklı göstermek için bulduğu tesadüfi bir bilginin arkasına saklanması olarak görülüyor komutanım, dedi.

– Tesadüfler ile böylesi gizli bilgilere ulaşılabilir mi ki?

– İstihbarat birimleri Üzeyir'in evinde yaptıkları araştırmada bilgisayarına ulaştılar. Son zamanlarda dış dünya ile hiç bağlantısı kalmamış Üzeyir'in, teknik bilgisini de kullanarak birçok yabancı istihbarat teşkilatının sayfalarına girdiğini tespit ettiler. Sizin de malumunuzdur. Bilgisayar ağında ne kadar güvenlik duvarları kurulsa da en güvenli dediğimiz bölgeler bir hacker marifetiyle çözümlenebiliyor. Üzeyir'in de bunalımlı zamanlarının içinde böylesi bir bilgiye ulaşması muhtemeldir.

General, duyduklarından az çok tatmin olmuş olacak ki dosyayı emir erine vererek "çok gizli "ibaresi vurulup bir an önce Genelkurmay istihbarat dairesine yollanmasını istedi.

Atakan çok mutluydu. Verilen görevi zamanında bitirmişti. Karargâhtaki son vazifesini de sorunsuz yerine getirmenin vermiş olduğu huzurla, işinden idari iznini alıp erken vakitte ayrıldı.

Daha karargâhın bulunduğu Üsküdar'dan vapurla karşıya geçecek, Şebnem'i işyerinden alıp ailesinin bulunduğu Sarıyer'e gideceklerdi. İstanbul'un keşmekeş trafiğini düşündüğünde, işten erken ayrılmakla ne kadar isabetli davrandığına sevindi.

* * *

Sarıyer-İstanbul 18.30

Atakan omuzlarından tuttuğu Şebnem'e dönerek;

– İşte burası, dedi

Şebnem, Atakan'ın ailesinin oturduğu evi görünce çok şaşırmıştı. Eski Osmanlı evlerinden mahallede tek tük kalmış olsa da, dışı tadilat görmüş iki katlı şirin ev insanın içini ısıtıyordu. Atakan uzun tahta kapının zilini çalmaktansa hâlâ kapının pervazında asılı duran pirinç oymalı tokmağını vurdu.

– Benim geldiğimi böyle anlıyorlar, diyerek Şebnem'e gülümsedi.

İçeriden kapının açık olduğuna dair annesinin sesi geldi. Şebnem ile beraber eve girdiklerinde annesini salona açılan mutfakta, sofrayı hazırlarken buldular. Atakan annesine arkasından sarıldı.

– Misler gibi kokuyorsun anneciğim. Seni öyle çok özlemişim ki... Babam nerede?

– Yukarıda. Senin geleceğini öğrendiğinden beri tıkıldı oraya bir şeyler hazırlıyor. Sabahtan bu yana da çatıda bir şeylerle uğraşıyor.

Sözünü bitirir bitirmez Şebnem'e dönüp "Hoş geldin kızım" diyerek seslendi.

Mutfak tezgahında hazırladığı salatayı sofraya yetiştirmeye çalışan Atakan'ın annesinin sebzeleri elleriyle yoklaması, tezgahın üzerinde duran bıçağı alırken Atakan'ın ona yardım etmesi, Şebnem'in dikkatinden kaçmadı. Atakan'a, neler oluyor, ifadesiyle baktı. Onun gözlerindeki şaşkınlık ifadesini anlayan Atakan, elleriyle iki gözünü işaret etti. Şebnem'e, annesinin doğuştan görme özürlü olduğunu söylememişti.

Atakan'ın işaretiyle durumu farkeden Şebnem de sofrayı hazırlamasında yaşlı bayana yardımcı olmak için kollarını sıvadı. Bir süre sonra merdivenin ucunda tontiş bir adam belirdi. Merdivenleri yavaşça inen ihtiyar adam, elindeki bastonu tırabzanların ucuna bırakıp yakında duran geniş arkalıklı kırmızı koltuğa elindeki kutu ile ilişiverdi. Şebnem yaşlı adamı görünce hayreti iki kat daha arttı. Atakan'ın annesinin de babasın da gözleri görmüyordu.

Atakan'ın kulağına hafifçe eğilerek;

– Bu durumdan bana neden daha önce bahsetmedin? En azından gelirken başka bir hediye alırdım, dedi.

Atakan'ın annesi sofra ile uğraşırken;

– Menekşeler için teşekkür ederim kızım, diyerek sehpanın üzerindeki morlu mavili çiçekleri eline alıp koklamaya başladı.

Şebnem bu eve geldiğinden beri hayretler içindeydi. Gözleri görmeyen bu çiftin, bu kadar tertipli bir evde bütün ihtiyaçlarını karşılayabilmesi onu iyice şaşırtmıştı. Aslında bir yıldır birlikte vakit geçirdiği birisini artık tam da tanıdığını düşünürken, onun yaşamıyla ilgili aslında hiçbir şey bilmediğini fark etti. Aklında Atakan'a soracak o kadar çok soru vardı ki. Ancak kafasındaki soruların hepsi sofraya oturulduğunda birer birer yanıtlarını bulmaya başladı.

Atakan'ın annesi de babası da İstanbul'da körler için özel açılmış bir okulda tanışmışlar ve daha sonra hayatlarını birleştirme kararı almışlardı. Atakan onların hayattaki tek çocuğuydu. İkisi de çocuklarını dünyaya getirmek için önceleri tereddüt içindeyken doktorların olur vermesiyle tek evlatları olan Atakan'ı dünyaya getirmeye karar vermişlerdi. Sonraki yıllarda Atakan tek çocukları olarak onların gözü ve kulağı olmuştu.

Şebnem, sofradaki konuşmalardan Atakan'ın annesi ve babasının ne kadar cana yakın ve hoş sohbet insanlar olduğunu anlamıştı. Genellikle insanlarla ilk tanışmasında zorluklar yaşayan Şebnem sıcak ev ortamına bir anda alışmış, sohbete iştirak etmekten kaçınmamıştı. Yemek esnasında Atakan devamlı misafirinin hareketlerini izlerken, Şebnem'i ailesi ile tanıştırmak için aldığı kararın ne kadar isabetli olduğunu düşünüyordu.

Yemekler yenilip masa kaldırılacağında Şebnem:

– Bırakın efendim biz toplayalım masayı, diyerek Atakan'a göz işareti yaptı. Tabakları alıp mutfağa götüren Atakan:

– Nasıl buldun annemi? diye sordu

– Çok kötüsün! Neden bana onların bu durumunu söylemedin. Çok tatlı insanlar. Annen, getirdiğimiz çiçeklerin kokusundan menekşe olduklarını anladı.

– Evet, çok tatlıdırlar. Görmediklerine bakma, her şeyi sezer bizim ihtiyarlar. Sadece ufak bir detay olduğu için anlatmak istememiştim.

– Seni tanıdığımı sanıyordum. Oysa... Hakkında bilmediğim daha ne gençlik maceraların vardır, dediğinde, Atakan bu söze tebessümle karşılık verdi.

Kahveler yapılıp salona geçildiğinde Atakan'ın babası:

– Sana bir hediye vermek istedim evlat, diyerek tavan arasındaki tozlu raflardan çıkardığı kutunun içerisindeki kalın ciltli kitabı oğluna uzattı.

– Bu kitabın adı Mesnevi'dir evlat. Konya'da yaşamış ünlü mütefekkir Mevlana Celalettin Rumi'nin eseridir. Bana da babam hediye etmişti. Şimdi ilk kez bizden uzun süreli olarak ayrılıyorsun. İlk kez bizden bu kadar uzak kalacaksın. Gittiğin yerlerde o yüce insanların sözlerinin de yaşamına düstur edinmen için bu kitabın bundan sonra sende kalmasını istiyorum.

Atakan babasının verdiği hediyeden dolayı çok memnun oldu. Babası, çocuk yaşta geçirdiği çocuk felcinden sonra gözlerini kaybetmiş olmasından dolayı bu kitabı hiç okuyamamıştı. Ancak görmeyenler için Kril alfabesiyle yazılmış Mesnevi'nin beyitlerini okuma fırsatı bulabildiğinden bahsediyordu. Bir nesil sonra kitabı kendi oğlunun tekrar okuyacak olması onu sevindirdi. Babası, Şebnem kahveleri getirirken kitabı açıp aklında kalan birkaç beyti okumak istedi.

"Güneş ışığı duvara vurur; duvar geçici bir parlaklık bulur. Ey dürüst kişi! Kerpice neden gönül bağlıyorsun? Sürekli parlayan aslı ara. Senin hissinin üzerindeki, aklın ışığıdır. Güzellik beşerde altın yaldız gibidir. Çünkü gönül güzelliği bâki güzelliktir. Onun bahtı ab-ı hayatın sâkisidir."

Söylenen mısraları duyan Atakan'ın annesi:

– Gözle değen gözle gider. Gönülle gelen gönülde kalır, dedi.

Kahveler içilirken, Atakan'ın okuduğu her mısrada annesinin ve babasının katmış olduğu açıklamalarla sohbet uzadı gitti. Şebnem onları seyrederken Atakan'ın gözleri görmeyen bir ailede olmaktan dolayı hüzünlü olacağı yerde aslında ne kadar büyük bir mutluluğu yakalamış olduğunu farketti. Oysa kendi ailesinin her şeyi vardı. Babası çok zengin bir iş adamıydı. Annesi, konken partilerinden çıkmayan, hayatın içinde alışverişten başka mutluluğu yakalayamamış bir kimlikti. Böyle güzel ve sıcak aile sohbetine dahil olmayalı yıllar olmuştu. Atakan'ın babası Mesnevi'den beyitler okumaya devam ediyordu.

– İnsanın önüne çıkan her kilitli kapı başka kapıların ve harikuladeliklerin karşısına çıkmasına sebep oluyor. Gözler görmeyince gönüller dile geliyor.

Bunları söylerken annesi, babasının omzuna yaslandı.

– Biliyor musunuz çocuklar, birçok gün biz de beraberliğimizi ve bizi bir araya getiren nedenleri düşündük. Belki de bunca sene beraber geçirdiğimiz şu kısa ömrümüzde birbirimizi görebilseydik, bazen işlerden dolayı hüzünlenen, ekşiyen, bazen umutsuzlaşan yüzlerimize şahit olmuş olsaydık, bunca yıl birbirimize katlanamazdık diye düşünüyorum. Oysa bizler ruhumuzu görerek birbirimizle bunca yılı mutlu geçirebildik. Umarım siz de böyle bir hayat yaşarsınız.

Annesinin bu sözleri üzerine Atakan'ın gözleri parlamış, ama biraz da utanmıştı. Şebnem'in mutlu bir aile yapısına şahit olduğu bu ortamdan huzur aldığını yüzünden anlamıştı.

Anne ve babası dinlenmeye çekilirken Atakan, misafirini çocukluk yıllarının geçtiği üst kattaki odasına götürdü. Oda askerî okula gittiği günkü gibi aynen duruyordu. Küçük yatağının başucuna asılmış uçak resimlerine, tuttuğu takım olan Galatasaraylı futbolcuların posterleri eşlik ediyordu. Atakan geçmişe bir an geri dönmenin verdiği burukluğu yaşıyordu. Şebnem raflarda duran kitapları karıştırınca;

– Yaşına göre çok kitap okumuş olmalısın, dedi.

– Evet, özellikle şu gördüğün dünya ülkelerini anlatan kitapları okurken oralara seyahat etmeyi hayal ederdim çocukken.

Bir yandan da çekmeceleri karıştırıyorlardı. Eski kazakları, gömlekleri hâlâ yerli yerindeydi. Annesinin el işiyle ismini yazdığı beyaz geniş mendillerini görünce gülüştüler. Mendilleri Şebnem alırken altından oyun kâğıdı destelerinin düştüğünü gördü:

– Oo, beyimiz kumara meraklı imiş demek ki?

Atakan huzursuz bir halde oyun destelerini alıp alt çekmeceye koyarken;

– Biliyorsun eskilerde kaldı artık. Bir ara fena sardırmıştım kumar illetine ama hayat bir kumar değil mi ki? Bak yaptığım mesleğe: askerlik. Hayatımızla kumar oynamıyor muyuz?

– Belki bir oyun ya da değil ama neticede ortaya koyduğumuz hayatlarımız oluyor. Bilerek lades dememeli diyen sen değil miydin?

– Demek bir zamanlar öyle demiyor muşum, diyerek duraksadı. Kadere istikamet çizmek istemek, evet bunu anlarım. Ama içi boş bir dünyada yaşamıyoruz Şebnem. Hep arzular ve istekler. Yaz varken kışı, kış varken baharı arzulayan bir süreçte değil mi hayatımız?

Sohbetleri bu minval üzere sürdü gitti. Vaktin nasıl geçtiğini anlamadılar. Bu akşamki misafirliğin sonu gelmişti.

Atakan, bir süre sonra İstanbul'dan ayrılacağından dem vurarak, Şebnem'i onlara emanet ettiğini söyledi. Annesi ise sanki yıllardır tanırmışçasına Şebnem'e ısınmıştı. Evinin her zaman ona açık olduğunu, hatta yemekten sonra yenilen pastaların tarifini bir dahaki gelişinde ona verebileceğini söyleyerek iki genci evden yolcu ettiler.

Şebnem, ikram edilenleri çok güzel bulup yemeği fazla kaçırdığından eve gitmeden biraz yürümek istediğini söyledi. İkisi beraberce hafif çiseleyen yağmurun eşliğinde Bomonti'nin dar sokakları arasında romantik bir yürüyüşe karar verdiler.

Yolu sessizce adımlıyorlarken, Atakan birdenibre:

– Ne düşünüyorsun? dedi.

– Annen baban, çok şirin insanlar. Sadece özel durumlarını neden benden sakladığını merak ettim.

– Bir sebebi yok aslında. Sadece onlara karşı önyargın oluşsun istememiştim. Kendin tanı ve kendin karar ver diye düşündüm.

Şebnem:

– Psikolojinin ilk tanımı yani, diye ekledi.

Atakan, Şebnem'i ilk kez elinden tutup kaldırıma doğru çekerken, uzun ve dar yolun ucunda duran siyah Chevrolet'in çalışır bir halde hiç yerinden kıpırdamadan onlara doğru durduğunu fark etti. Sokağın sonuna doğru yürüyüşlerine devam ederken yavaşça arkalarından takip eden arabanın ne yapmak istediğini bilemeyen Atakan, caddenin sonunda hâlâ bu sinir bozucu takibin devam ettiğini farkedince bir anda hamle yaparak kendini sokağın ortasına doğru attı. Ellerini arabaya doğru açtı ve "Evet, gel" dercesine alaycı bir ifadeyle ellerini iki yana doğru uzattı.

Şebnem:

– Ne yapıyorsun? Ne oldu? diye haykırdı.

Sokağın bir ucunda Atakan diğer ucunda ise siyah araba öylece duruyordu. Bir müddet Atakan'ın ne yapacağını takip eden arabanın içindekiler gazı sonuna kadar köklediler. Arka lastiklerin yeri aşındırmasından dolayı çıkan duman sokağı kaplarken, araba hızla Atakan'a doğru geliyormuş gibi yapıp sokağın tam ortasındaki yan yola girerek gecenin karanlığında kayboluverdi. Şebnem olup bitenlere bir anlam verememişti. Atakan'a neler olduğunu sordu ama net bir cevap alamadı. "Birkaç serseri oyun oynamak istiyor herhalde" diyerek sözü geveleyen Atakan, Şebnem'in omuzlarından tutarak evine kadar güven içinde getirdi.

Şebnem'i bırakıp eve geldiğinde yorulduğunu fark etti. Gece hayli uzun geçtiğinden gündüzün iş yoğunluğu ve stresi de bütün kemiklerine bir anda çöküvermişti. Duş alıp biraz rahatladıktan sonra uzandığı kanepede uykuya esir düştü.

Gecenin ilerleyen saatlerinde uykuya daldığı kanepede uyandığında televizyonun açık kaldığını farketti. Kumandaya uzandığında susadığını hissedip buzdolabına yöneldi. Aldığı limonatadan bir yudum çekip bardağı masanın üzerine koyarken gözü pencerenin dışına kaydı. Bomonti'de kendisini takip eden siyah aracın, evin çitinin hemen önündeki yolda hareketsiz bir şekilde durduğunu fark etti. Arabanın camları simsiyahtı ve içeride kimlerin olduğu seçilemiyordu. Perdeleri açıp camdan kendini gösterdiğinde, arabanın yavaşça caddeden uzaklaştığına şahit oldu. Evine kadar takip edildiğine göre sokak serserilerini bayağı kızdırdığını düşündü. Bu tiplerin son zamanlarda İstanbul sokaklarında arttığını ve bu tiplere fazla bulaşmamak gerektiğini biliyordu. Araba sokağın başında kaybolduğunda, bir süre pencerede durarak temiz havayla ciğerlerini doldurmaya çalıştı. Uyumalıydı. Sabah karargâhtaki işlerini düşünerek bir o yana bir bu yana dönüp sabahı zor etti.

Sabah, Boğaz Köprüsü trafiği tıkanmış, İstanbul trafiği her zamanki gibi berbat haldeydi. Bugün Üsküdar'daki karargâhını son görüşü olacaktı. Karargâhta ilişiğini kesmek için birtakım imza işlemlerini tamamlaması gerekiyordu. Uzun zamandır arkadaşlık yaptığı, okuldan da arkadaşı olan Tuğrul'la nizamiyede karşılaştı. Tuğrul heyecanla yanına yaklaştı, karargâhtan tayini çıkanlar için bu gece Beyoğlu'nda bir veda gecesi planladıklarını söyleyip "seni de aramızda görmek istiyoruz" dedi.

Bulunduğu vazife böylesi tayinlere alışık olmasını gerektiriyordu. Dolabının çekmecelerindeki son kalan eşyaları da toplamak için yöneldiğinde, Üzeyir'in elinde salladığı ve hastaneden ayrılırken araştırmasına bir açıklık getirebilir düşüncesiyle gizlice aldığı dal parçasını gördü. Bir anda Üzeyir'i hatırladı. Acaba onun hakkında hazırladığı raporda doğru sonuca ulaşabilmiş miydi? Elinden gelen her şeyi yaptığını düşününce içinde bir rahatlama oluştu. Dal parçasını da bu görevin bir anısı olarak özel eşyalarını yerleştirdiği kutunun içine koyarak üzerini bantladı. Tayininin çıktığı Mardin'deki birliğe teslim edilmesi için askeri kargoya verilmek üzere kutuyu emir subayına teslim etti.

Akşam olduğunda Tuğrul ve karargâhtaki birkaç iyi dostu ile İstanbul'un eğlence mekânların olduğu barlar sokağına doğru yöneldiler. O gece İstanbul'daki son gecesi olduğundan, arkadaşları ile felekten bir gece geçirmek istiyordu. Bekâr bekâra gittikleri Beyoğlu'nun arka sokaklarındaki bütün barları gezerek sabaha kadar eğlenmenin, son zamanlardaki aşırı yoğunluğun vermiş olduğu strese iyi geleceğini düşündü.

Kırmızı neonların ve filtreli mavi ışıkların altında bütün barları tek tek gezmeye başladılar. O kadar çok içmişlerdi ki, arkadaşı Tuğrul'un sarhoşluğun etkisiyle elindeki şarap şişesini Şebnem'in aldığı monta boca etmesiyle, montun yarısının rengi mora dönüşüvermişti. Her zaman kendini kontrol etmeyi bilen Atakan, arkadaşlarının artık iyice sarhoş olduğunu gördüğünde eğlenceye son vermeleri gerektiğini anladı. Saatine baktığında gece üç sularıydı. Eğlenceyi fazla kaçırıp epey geç kaldıklarını fark edince, "Ben yarın gidiyorum ama sizin mesainiz var. Hadi yeter bu kadar" diyerek arkadaşlarını birer birer bardan çıkarmaya başladı. Beyoğlu'nun arka sokaklarında yalpalayarak yürüyen ve zorla ayakta kalma mücadelesi veren arkadaşlarını en yakın taksiye bindirmeye çabaladı.

O anda sokağın başında, buraya gelmeden önce uğradıkları reggy barın önünde serseri tipli birkaç tiner bağımlısının, yoldan geçen bir kalabalığı taciz ederek kavga çıkardıklarını gördü. Gecenin bu saatinde Beyoğlu'nda bu tür serserilikler alışılageldik şeylerdi. Hızla dövüşenlere yetişip kavgayı ayırmak isteğindeydi. Ancak tiner çekmekten gözleri dönmüş sokak serserilerinden birinin, kavga ettikleri kişilerden birinin göğsüne doğru bıçakla hızla vurduğunu gördü. Bıçak havada savruldukça çeliğin parlayan yüzü kırmızıya dönüveriyordu. Bu durumu gören arkadaşları da kavganın olduğu yöne doğru kendilerini toparlayarak koştular.

Atakan'ın üzerindeki beyaz montun aynısını giymiş olan biri, yerde kanlar içinde yatıyordu. Koşuşturmacalar, polis arabalarının sirenleri içerisinde ortalık bir anda ana baba gününe dönüverdi. Yerde yatan kişiyi bıçaklayan serseriler hızla ara sokaklara dalarak kaçmayı başarmışlardı. Toplanan kalabalıktan kimileri, kafayı bulmak için tiner çeken serserilerin memleketi mahvettiğinden bahsediyorlardı. Diğerleri ise "Ambulans! Ambulans!" diye ortalığı inletiyordu.

Yerde yatan kişi için artık yapacak bir şeyin olmadığını anlayan Atakan, üzerinde kendi montunun aynısını taşımasına takılmış, kim olduğunu merak etmişti. Olay yerine gelen polis, montun cebinden çıkardığı kimliğe bakınca, öldürülen şahsın hava kuvvetlerinde görevli genç bir teğmen olduğunu söyledi. Atakan donup kalmıştı. Az önce çıktığı barda kendine benzeyen ve aynı meslekte görevli birisinin cansız bedenini gördükçe kendisini bir an olsun onun yerine koyuverdi.

Sokağın sonuna doğru göz ucuyla baktığında, evinin önünde gördüğü siyah arabanın hızla olay yerinden uzaklaştığını gördü. Tuğrul bu karede daha fazla görülmelerinin askeri açıdan doğru olmayacağını söyleyince, hep birlikte olay yerinden geçen bir taksiye atlayarak oradan uzaklaştılar. İstanbul, Atakan'a son tatsız sürprizini o gece yapmıştı.

Bir sonraki gün başağrısı ile zor uyandı. Öğlen Diyarbakır askerî havaalanına gidecek, oradan da askeri nakliye birliklerine dahil olarak Mardin'deki yeni birliğine ulaşacaktı. Yanında götüreceği üç beş eşyasını bavulunun içine tıkıştırarak, şimdiye kadar hiç görmediği bir hayata merhaba demek için evinden ayrıldı. Dün gece yaşadığı talihsiz olayın haberi, hava alanına giderken aldığı gazetelerin baş sayfalarındaydı.

"Beyoğlu'nda tinerciler bir subayı bıçakladılar."

Gazetelerin iç sayfalarını karıştırırken, beyaz montu bıçak darbesiyle kanlar içinde kalmış cesedin fotoğraflarını gördüğünde, dün gece yaşadıklarını tekrar hatırladı.

-3-
Mardin

Mardin-Türkiye-15:30

Böylesi bir güzelliğin insan elinden çıkmış olabileceğine hayret ederken, taş yapıların harikuladeliği insan düşüncesinin ve ruhundaki sanatın zarifliğini ona bir kez daha tescil ettiriyordu. Taş oymalı evler, çeşmeler, çan seslerinin ezan seslerine karıştığı mekânlardan geçerek yeni askerî birliğine doğru yola koyuldu. Taksi ile şehrin tarih kokan sokaklarından geçerken gördüğü insan manzaraları hiç de İstanbul'a benzemiyordu. Tarihin içinden çıkıp gelmişçesine yöresel kıyafetler içindeki insanlar ile modern kıyafetli tek tük memur takımının gezindiği kalabalık sokaklardan geçerek şehrin dışında yer alan birliğine doğru yol aldı

Buradaki görevinin İstanbul'dan daha hareketli olacağını biliyordu. Bölgenin adı uzun zamandır terörle beraber anılmaya başlamıştı. Harika sanat eserleriyle bütünüyle sit alanı ilan edilen ve içerisinde birçok kültürün aynı anda kardeşçe yaşadığı bu şehri, varoşlarına ve köylerine dadanan sinsi beladan kurtarmak yine askerin payına düşmüştü.

Taksici meraklı bir tipe benziyordu.

– Pek turiste benzemiyorsunuz beyim. Asker ziyareti için mi geldiniz? diye sordu. Atakan yol yorgunu olduğundan pek konuşmak istemese de, dikiz aynasından taksicinin ısrarlı bakışlarını görünce cevap verdi.

– Hayır, ben askerim. Bundan sonra burada vazifeliyim.

– O, beyim, hoş geldiniz şehrimize. Bakın şehir küçük olsa da sizi aldatmasın. Şirindir. Memleketim diye söylemiyorum ama sıcakkanlı insanlardır bizim şehrin insanları. Hem aradığın her şeyi burada bulabilirsin, diye başlayan taksici, yol boyunca gevezeliğine devam etti.

Nihayet şehrin dışındaki karargâh görünmüştü. Atakan birliğine girdiğinde, yeni bölüğünde alacağı vazifenin telaşı içerisindeydi. Hemen komutanlığa görev emrini tebliğ ederek vazifesini almak istiyordu.

Karargâhta onu ilk karşılayan Astsubay Emre oldu. Afyon'lu olan Emre astsubay, yeni bölük komutanının İstanbul'dan geleceğini bildiğinden, o gelmeden önce karargahta her türlü hazırlığı yapmıştı. Atakan'ın elindeki çantalara uzandı hemen:

– Komutanım şimdilik size askerî misafirhanede yer ayırdık. Daha sonra şehirde bir ev buluruz, diyerek, Atakan'ın yanında getirdiği üç beş eşyayı askerlere verip bölüğün içindeki yeni odasına taşınmasını sağladı.

Atakan, bu sıcak karşılamadan memnun kalmıştı."İstanbul'dan daha önce kargo ile yolladığım eşyalar geldi mi acaba?" diye sordu.

– Kargo uçağı bu sabah inmiş olmalı komutanım. Geldi ise, alıp eşyalarınızı size getiririm.

Bu sırada ilerleyip karargah bölüğünün içine girmişlerdi. Emre astsubay:

– Dilerseniz size yeni odanızı göstereyim, diyerek Atakan'a eşlik etti. Karargâhın ikinci katında, dağların yamaçlarına bakan küçük pencereli bir odanın önünde durdular. Emre astsubay:

– Komutanım, sanırım Nahit albayın emrindeki birliklerin iç tedarik bölümünde görevlendirilirsiniz. Siz de muhtemelen bizim iç ikmal bölüğünde yer alacaksınız, Görevi Nahit Albayım yarın size resmî olarak sunacaktır, dedi.

Yol yorgunu Atakan, bedenini beyaz ve sade döşeli odanın ucunda duran koltuğa saldı .

– Uçak da olsa yol zor Emre astsubayım, ama ben buraya oturmaya gelmedim. Tuzla'daki askerlerimize arazi şartlarında savaş talimlerinde ne öğretiyorsak onları icra etmeye geldik.

Emre astsubay tebessüm etti.

– Daha çok uzun vaktimiz olacak komutanım. Hele biraz yöreyi, şehri bir tanıyın. Ondan sonra dağlarda beraber çok gezeceğiz sizinle.

Mardin'de geçireceği uzun yılları düşününce, ilk aşamada yöreye intibak açısından karargâh emrinde tutularak alışma sürecini atlatması onun için de iyi olacaktı. Bölgede terör örgütünün sınır bölgelerinde yaptığı hain saldırıları gözünün önüne getirdiğinde, Emre astsubayın dediklerine hak verdi.

Birkaç gün sonra İstanbul'dan kargoyla yolladığı eşyaları da geldi. Henüz ev bulamadığından, eşyalarını Emre astsubayın lojmandaki evinin deposuna yerleştirdiler. Atakan'ın karargâhtaki ilk günleri, Emre astsubay ile beraber masabaşı görevinde geçiyordu. Askerî birliklerdeki hareketlilik bir ay sonra düzenlenecek olan tatbikat hazırlıkları haricinde rutin olduğundan, mesai saatleri dışındaki vaktini şehri tanımakla geçirmeye karar verdi.

Tarihî birçok mekânı barındıran şehirde yaşamanın verdiği rahatlık bir başkaydı. İstanbul'daki trafik yoktu, gürültü yoktu. İnsanlar ile diyalog kurmakta zorlanmayan Atakan, taşınmayı planladığı kiralık bir ev aramaya başladığında şehirdeki esnaftan yeni dostlar edinmeye başlamış, aynı zamanda yöre halkının askere karşı düşüncelerini de öğrenme fırsatı bulmuştu.

İki haftanın sonunda Emre astsubayın da yardımlarıyla şehir merkezinde beş katlı bir apartmanın üçüncü katında kiralık bir ev bulabildi. Yolun uzaklığından dolayı İstanbul'daki birçok eşyasını Mardin'e getirememişti. Evdeki ihtiyaçlarını karşılamak için yeni birkaç şey alması gerekiyordu. Mesaiden sonra yeni evinin eksiklerini gidermek için dolaşırken, beyaz eşya satan bir dükkânın sahibi olan Mennan ile tanıştı. Yöre halkının sıcakkanlılığını taşıyan ve ilginç kişiliği olan bu adamla sıkı bir dostluk kurabileceğini, kısa sohbetlerinin sonunda anlamıştı.

Mardin'de beyaz eşya bayiliği yapan Mennan ailesi, bir dönem İstanbul'da Atakan yüzbaşı ile aynı semtte oturduklarından, konuşacak pekçok ortak noktaları vardı. Kısa bir süre sonra, mesai sonrası Mennan'ın dükkanına uğrayıp yöreye özgü mırra kahvesi eşliğinde sohbet etmek, Atakan'ın hobisi haline gelmişti.

Zayıf yüzü ve çelimsiz vücudunu sürekli siyah takım elbiseyle dolaşarak kapatmaya çalışan Mennan'ın esnaflıktan gelen samimi tavırları, Atakan'ın da onunla arkadaş olmasını kolaylaştırmıştı. Bu sohbetler, evden başka gidecek bir yeri olmayan Atakan'ın sıkıcı geçen Mardin gecelerine lezzet katıyor, en azından İstanbul'dan uzak kalmanın özlemini hafifletiyordu. Gecenin ilerleyen saatlerine sarkan muhabbet sonunda tavla atarak geceyi bitirmek, bu dar zamanda Güneydoğu hayatını daha çekilebilir hale getirmeye yetmişti.

Şehirde sakin geçen ilk günlerinde, böylesi esnaf ziyaretleri haricinde yapılabilecek herhangi bir sosyal aktivite yoktu. Sinema şehre daha yeni geliyordu. Filmler ise İstanbul'daki gösterimlerinden ancak birkaç ay sonra buraya ulaşıyordu. Bu arada Mennan'ın ağzından düşürmediği çeşitli halk hikâyelerini dinlemek, Atakan için sinemanın boşluğunu dolduruyordu.

* * *

Yeni bölüğünde gece nöbetçi kalmadığı günlerden biriydi. Şehrin dar cazibesine yeni yeni alışmıştı. Kışın yavaş yavaş yüzünü göstermeye başladığı o günlerde, şehrin tek parkındaki ağaçların kurumuş yaprakları bütün sokaklara savruluyordu. Karargâhtan çıktığında yapacak bir işi yoktu. Canı eve de gitmek istemedi. Her zamanki gibi şehrin merkezinde yer alan Mennan'ın dükkânına doğru yola koyuldu. Dar sokaklardan birine gözü kayınca, İstanbul'da gördüğü siyah jipe benzeyen bir arabanın durduğunu farketti. Hava soğuk olduğundan caddelerde kimsecikler yoktu. Hangi sokağa girse, arabanın kendisini takip etiği hissine kapıldı. Şehrin yabancısı olduğundan, bir ara yönünü kaybederek bilmediği ara sokaklara daldığını farketti. Bir köşe başında durarak, siyah jipin hâlâ peşinde olup olmadığını kontrol için etrafı kolaçan etti. Sokağın başında, kaldırım taşlarına düşen far ışıkları farketti. Soğuktan soluğu buhar olmuş, her soluk alışında nefesindeki buhar havada uçuşuyordu. Karşıda şehir merkezi tabelasını gördüğünde o tarafa doğru koşar adım yöneldi. Arkasındaki arabanın köşe başına kadar kendisini takip ettiğini gördüğünde, içindeki tanımsız ürperti daha da alevlendi. Girdiği yolu tanımıştı. Hiçbir şey olmamış gibi adımlarını sıklaştırarak Mennan'ın dükkânına sığınıverdi. Onu telaş içerisinde gören Mennan şaşırdı:

– Hayrola komutan, bu ne hal böyle? Nefes nefese kalmışsın!

Atakan, Mennan'ı kolundan tutup dükkânın camının önüne doğru götürdü.

– Köşede duran siyah cipi gördün mü?

– Evet. Ne olmuş? Bunlar, buralarda petrol arayan Amerikan şirketine ait. Şehre yeni yeni gelmeye başladılar. Dediklerine göre buralarda çok fazla miktarda petrol rezervi varmış.

Atakan bir anda evhamının yersiz olduğunu düşünüp derin bir nefes aldı. Aklından bir türlü çıkmayan Üzeyir Kaman dosyasının, son zamanlarda her şeyden nem kapan bir insan olup çıkmasında büyük rolü vardı. Üzeyir'in bahsettiği cinler, siyah arabalar her şey rüyalarında birbirine karışıyor, çoğu gece kan ter içinde soluk soluğa yataktan fırlıyor, bir daha da uyuyamıyordu. Nöbet şeklinde üzerine dalga dalga gelen düşünce yoğunlaşması, yeni bir şehirde yaşamın verdiği ilk çekingenliğin farklı bir yansıması olabilirdi. Ancak önceleri rüyalarında onu meşgul eden düşünceler gündüzleri işinde hayal şeklinde kafasında yer etmeye başladığında, saplantılarının ruhunda içinden çıkılmaz bir hale doğru gittiğini anladı.

Takıntılı bir insan değildi. Yaptıklarının hesabını peşin ödemeyi kendine prensip edinmiş, ruh yapısını asker kimliği ile ancak böyle muhafaza edebilme konusunda yetiştirilmişti. Geçmişe takılıp kalmak istemese de bu seferki bambaşka bir huzursuzluktu.

Mardin'e gelmeden önce yazdığı raporda içine sinmeyen bir şeyler olduğunu kendine itiraf etmekten korkuyordu. Hadi Üzeyir cidden bir şizofren hastası olarak kendini bir cinin kardeşini kurtarmaya adamış saplantılar içerisinde yaşayan bir kimlik olabilirdi. Peki ya Genelkurmay'ın onunla ilgilenmesine sebebiyet verebilecek gizli şifreleri bir bir söylemesindeki sır ne olabilirdi ki? Bu hususu, raporunun sonuç bölümünde yazdığı gibi, içe kapanık bir ruh hali ve tesadüfen internette bulduğu bilgiler ile açıklamak mantıksızlıktı. Öyle dahi olsa, askerî kodları içeren şifreleri yanyana getirebilmek bir deveye hendek atlatmaktan daha zor ve istatistik açısından imkânsız gibi görünüyordu. Buna askerî şüpheciliği de eklendiğinde Üzeyir hakkında yazdığı raporun yanlış olduğu düşüncesi zamanla ruhunda suçluluk psikolojisini tetiklemişti. "Aslında kırsaldaki birliklerde görevlendirilmeden, intibak süresinin boşluğundan faydalanarak konuyla ilgili gayriresmi bir araştırmaya girişebilirim" diye düşündü. Mennan'ın o gece tavla partisine hayır diyerek, içindeki kargaşayla dükkânından çıkıp yeni taşındığı eve geldi.

Evindeki eşyaları henüz tam anlamıyla yerleştirememişti. Tembellik ruhuna yapışmış, evi düzenleme konusunda olduğu gibi hayatında herşeye karşı aşırı bir isteksizlik hâkim olmuştu. Koca salona koyduğu bir yatak ve birkaç mutfak eşyası haricinde odalar hâlâ bomboştu. Salonun ortasındaki, yeni satın aldığı siyah deri koltuğa oturarak, ayaklarını uzatıp derin bir nefes çekti ve yaşadıklarını tekrar düşünmeye başladı.

Aklına Şebnem düşüverdi. Şimdi İstanbul'da olmak ve onunla sohbet etmek için nelerini vermezdi. Cep telefonuna sarıldığında saatine baktı. Saat 9'du, perşembe gecesiydi. O saatlerde Şebnem'in her hafta olduğu gibi bilim akademi kulübündeki seminerde olduğunu düşünerek, cep telefonunu sehpanın üzerine bırakıp televizyon kumandasına uzandı. Televizyon kanallarını zaplarken, dünyanın her yerinde patlamalar, sel baskınları, tsunamilerle dolu felaket manzaralarıyla karşılaşıyordu. Bir şeylerle uğraşmasa patlayacak gibiydi. İçi sıkılmış halde çantasına uzandı. Aklına gelip giden düşüncelerden kaçamazdı. Üzeyir Kaman dosyasını hazırlamak için not aldığı defterini açarak içindeki bilgileri tekrar kontrol etmeye karar verdi.

Üzeyir, Mardin'de Mizgin Hoca denilen birisinin Haleda'nın kardeşini esir aldığından bahsediyordu. Kalemi ile "Mizgin Hoca" yazılı yeri bir yuvarlağa alarak işaretledi. Artık Üzeyir'in bahsettiği hoca ile ayni şehirdeydi. Kalemiyle defterine anlamsız şekiller çizerken, hafızasında kalan "acaba" sorularını yok etmek için incelemesine gayriresmi de olsa devam etmeyi kurguladı. Resmî görevi bitmiş olsa da, kendine ve dürüst kişiliğine karşı asıl görevini yerine getirmediğinden, anlamsız hisler yumağından kurtulamayacağını biliyordu. Not defterinin işaretlediği noktasına kalemi vurarak, "Buradan başlamalıyım!" dedi.

Yarın günlerden Cuma'ydı. Hafta sonu Üzeyir'in bahsettiği hocanın yanına giderek, sözlerinin gerçeği yansıtıp yansıtmadığını araştırmaya karar verdi. Üzeyir'in Mizgin Hoca'ya dair anlattıklarının hiç de yabana atılacak tarafı yoktu. Ancak şehirdeki vazifesinden dolayı Mizgin Hoca'nın yanına gitmesi askeri açıdan sakıncalı olabilirdi. Bu konuda şehirdeki en yakın arkadaşı Mennan'dan yardım alabileceğini düşündü.

Hafta sonu iş çıkışında Mennan'ın dükkânına uğradı. Aklında Mizgin Hoca'yı bulup Üzeyir Kaman ile görüşmelerini sorgulamak vardı. Ama Mennan'a konuyu nasıl açacağını kestiremiyordu. Her zamanki gibi tavla partisinin sonunda kahveler geldiğinde.

– Mennan, bir arkadaşım İstanbul'da bahsetmişti. Sizin buralarda ünlü bir hoca varmış.. diye söze girdi. Mennan beklenmedik bir sorunun şaşkınlığıyla sordu:

– Ne işin olur senin gibi bir askerin hacıyla hocayla yüzbaşım?

– Ya sadece merak ediyorum. Çok methettiler, ben de merak edip bir ziyaretine gitmek istiyorum, ama kimdir, nerede oturur, bilmiyorum.

– Hele söyle bakalım kimmiş bu hoca?

Atakan biraz ağzında geveleyerek;

– Şey, ismi Mizgin Hoca mı neymiş, deyince Mennan, tanıyorum dercesine kafa salladı.

– Buralarda Mella Mizgin dedikleri o adamdan bahsediyorsun sen. Valla ben hiç gitme, hiç tanışma derim ama illa da bana yerini göster dersen, yarın seni evinin olduğu semte götürürüm. Ama gelirken askerî kıyafetlerinle gelme, orada dikkat çekersin.

Atakan, Menan'ın yardım sözüyle rahatlamıştı.

Ertesi akşam, çarşıdan aldığı yöreye uygun şalvarı ve üzerine sarkıttığı geniş parkasıyle Mennan'ın dükkânına adım attığında tam bir Mardin gencini andırıyordu. Mennan önce şaşırdı, sonra, "Bu ne hal yüzbaşım böyle!" diyerek gülmekten kendini alamadı.

– Valla komutan sen bir âlemsin, bizim mahallenin gençlerine benzemişsin.

Atakan biraz utangaç, biraz tedirgin halde:

– Bırak şimdi Mennan, beni Mizgin Hoca'ya götürecek misin götürmeyecek misin? diye sordu.

Mennan'ın "Tamam yüzbaşım" demesiyle, dükkânın önünde duran arabasına atlayarak hocanın bulunduğu mahalleye doğru yola koyuldular. Şehrin dağlık kesimine doğru yokuş yukarı çıkarlarken, dar bir köşe başında Mennan arabanın kontağını kapayıp farları söndürdü.

– Bundan sonrasına araba çıkmaz, yayan gideceğiz, dedi. Arabadan inerek parke taşı döşeli sokakların arasından usulca sıyrılıp tarihî bir çeşmenin başına geldiler. Mennan, yuvarlak kapılı, öne doğru sarkmış cumbasıyla farklı bir havası olan iki katlı evi işaret etti.

– İşte şu ev yüzbaşım. Bundan sonrasına yalnız gideceksin. Bizim aşiretin bu deli hoca ile arası iyi değil. Vallahi buraya geldiğimi öğrenirlerse beni yaşatmazlar. Ben seni bu köşede bekleyeceğim.

Atakan eve doğru yürürken, bir yandan içinde rahat edemediği elbiselerini çekiştirerek biraz daha üzerine uygun hale getirmeye çabaladı. Soba bacalarından çıkan duman şehre çökmüştü. Bu dumana sis de eklendiğinde, evin içinde yanan ışığı uzaktan zar zor görebiliyordu. Mizgin Hoca'nın kendisini nasıl karşılayacağını bilmiyordu. "Ya Üzeyir'i kovduğu gibi beni de kapı dışarı ederse?" diye geçirdi içinden. Belki de İstanbul'da bitirdiği işin peşine düşmemeliydi ama içini kemirip yiyen "acaba" sorusunu nasıl altedecekti... Bu sorudan kurtulmanın yolu; şimdi geldiği tahta kapılı evin arkasında olabilirdi. Buraya kadar gelmişken geri dönmek olmazdı.

Yavaşça kapıyı tıklatmaya çalıştığında kapının yarı açık olduğunu gördü. Basamaklardan aşağıya doğru inerken, düşmemek için kapının eşiğine yaslandığında sendeler gibi oldu.

Odanın içinde ayakta duran uzun boylu adamlardan bir tanesi onu omuzlarından tutmayı başardı. İçeridekiler, karşılarındaki davetsiz misafirin nereden çıktığını bilemediklerinden şaşkındılar. Atakan evin içine göz gezdirdiğinde, dar camların renkli kısımlarından sızan loş ışığın altında bir ihtiyarın yerde oturduğunu gördü. İçeride ayakta duran yaşlı adamlardan birisi, eliyle minberde oturan adamın önündeki postu işaret ederek yanına oturmasını söyledi. Kendisini, tarihi geriye götüren bir makinenin içinden buraya düşmüş gibi hissediyordu. Odadaki her şey yüzyıllar ötesini andırıyordu. Rahlenin üstüne konulmuş buhurdanlıktan sızan tütsü, havasız odanın her tarafına bir enfiye gibi yayılmış haldeydi.

Mihrabın tam ortasında oturan gür sakallı ve kaşları çatık adam, gözleriyle "burada ne arıyorsun" dercesine Atakan'a dik dik baktı. Atakan heyecanlanmıştı, söze nereden başlayacağını ve ziyaretinin sebebini nasıl anlatacağını bilemedi. Odanın tavanından sarkan mumlukların renkli camlarına bakarken gözü camın kenarında duran ve hocanın hizmetçisi olduğunu sandığı adama ilişti. Gözlerinden ateş çıkacakmışcasına Atakan'a bakan ihtiyar, ince kesilmiş bıyıkları ve aşağı doğru sarkmış gür sakallarının arasında kaybolan ağzından hafif bir ses çıkararak;

– Söyle yabancı, hocamız seni dinliyor.

Bu komut üzerine Atakan toparlanıp heyecanını yenmeye çabaladı.

– Efendim. Bir tanıdığım size gelmiş. Son zamanlarda ruhsal durumu iyi değildi. Onu bu duruma düşüren sebeplerin neler olduğunu merak ettim. Sizinle görüştüğünü söyleyince, bir yardımınız olur mu diye sizi rahatsız ettim, diyebildi.

Ortamda sessizlik hâkimdi. Yaşlı ihtiyar hiçbir şey anlamamış gibi öylece karşısında durarak sözün sonunu getirmesini bekliyordu. Atakan kısa bir ifadeyle;

– Arkadaşımın adı Üzeyir... Üzeyir Kaman. Size "Semuyt" denilen birisinden bahsetmiş sanırım.

O an salonda aynen Üzeyir'in anlattığı sahneler tekrarlanmaya başladı. Yerde oturan Mizgin Hoca, diğer ayakta duran adamlara eliyle kalın siyah kaplı defteri işaret etti. Kalın ciltli siyah deri kaplı kitabı açıp, düzgün ve Arap harfleriyle yazılan isimlerin üzerinden eliyle geçen hoca, aşağıya doğru inerken defterin ortasında durdu. Bozuk bir lisanla; yanındakilere Kürtçe bir şeyler söyledikten sonra Atakan'a dönerek:

– Geçenlerde gelen o kaçığı mı söylüyorsun sen? Onun ismi Üzeyir mi? Şimdi hatırladım onu, dedi.

– Evet, bir hikâyesi var, ben de dinlendim. Ancak psikolojisinin bozulduğunu ve tedaviye ihtiyacı olduğunu...

Mizgin Hoca onu dinlemeden sözünü kesti:

– Onun bahsettiği Haleda'nın kardeşi Semuyt bizim elimizde. Ama bu konuyla neden ilgileniyorsun?

Atakan'ın gözleri bir anda faltaşı gibi açıldı. "Üzeyir'in anlattıkları gerçekten doğruymuş!" diye düşündü. Mizgin Hoca, yanında duran koca taşlı tespihi alıp aksakalını sıvazladı ve anlatmaya devam etti.

– Gökler ve yerler... Toprak ve hava... Toz ve su... Hepsi birbirinden farklı, birbirini tamamlayacak şekilde yaratılmışlar. Her âlem diğer âlemler içine geçmiş bir felek. Her perdenin bir oyuncusu, her âlemin bir canlısı var. Beyaz sesler ve tozlar bulutu... Bu dünyada kaç hayat var bilir misin sen evlat?

Böyle bir soruyu beklemeyen Atakan, ağzında bir şeyler gevelemek istedi ama aklına hiçbir şey gelmemişti. Mizgin Hoca sakalını sıvazlayarak anlatmaya devam etti.

– Beş çeşit hayat vardır evlat. Biz insanların hayatı sadece bunlardan birisidir. Bizim haricimizde, Hızır aleyhisselam da bu dünyada yaşamaktadır ama nerede olduğunu biz bilmeyiz. Ruh'ül Kuds İsa peygamber de ölmemiş ve hâlâ yaşadığına inanırız bizler. Bir de Allah için şehit olanların yaşamı vardır ki onlar ölmezler. Çünkü Allah uğrunda ölenler diridiler. Ama gözler görmeyince, kulaklar işitmeyince, varlığa delil aramayan hisler inkâra sürüklenir gider. Saydığım dört çeşit hayatın içinde bir kesim de vardır ki, nasıl biz insan bu dünyada varız, çoğumuzun farkında olmadığı cinler de kendi âlemlerinde yaşar giderler. Bu meseleler herkesin idrak edemeyeceğin şeylerdir evlat.

Atakan yaşlı ihtiyarın bu havasız odada oturmaktan zamanla beyin hücrelerinin öldüğünü düşündü. Ama buraya kadar gelmişken hikâyenin sonunu dinlemeden gidemezdi. İhtiyarın anlattıklarını meraklı gözlerle dinlemeye devam etti.

– Bize gelen bahsettiğin o adam, cin taifesinden olan Semuyt'u serbest bırakmamızı istedi. Ama bu imkânsız... Bizim yolumuz, mesleğimiz ise bu minval üzerine kurulmuştur. O bizim esirimizdir ve ölene kadar da öyle kalacaktır.

– Kim? Semuyt mu sizin esiriniz? Ama bir cin sizin nasıl esiriniz olur ve neden bunu yapıyorsunuz? Sonra siz kimsiniz?

O anda ihtiyar içinden birkaç Arapça kelime söyleyerek konuşmasına devam etti.

– Bizler "iyilik hatları"nın korucularıyız, dedi.

Atakan ihtiyarın her cümlesinde yeni bir şeyler öğrenebilmenin heyecanına kendini kaptırmış cep telefonuna gelen çağrıyı dahi duymamıştı. Telefonu yeniden çaldığında ekranında iki tane cevapsız çağrı gördü. Muhtemelen dışarıda beklemekten sıkılan Mennan'dı arayan.

Mizgin Hoca'nın söyledikleri kendisine çok uzak olmasına karşın, ilk gördüğünde mistik Hint fakirlerine benzettiği ihtiyarın konuşmasındaki belagat ve ustalık, hiç de yabana atılır cinsten birisi olmadığını gösteriyordu. İhtiyar, koca taşlı tespihin tanelerinden birkaç tane çekerek kesik kesik konuşuyor, sonra susup tekrar birkaç tespih tanesi daha çekerek konuşmasına devam ediyordu.

– Sen devletin askerisin, ülkenin sınırlarını beklersin, biz de ruhanî âlemlerin sınırlarının bekçileriyiz. Bu hatlarımıza giren kim olursa olsun bizim düşmanımızdır. Semuyt da düşmanlarımızın askerlerindendir.

Atakan şimdi iyice şaşırmıştı. Asker olduğunu hocaya söylememişti. "Acaba gelmeden önce Mennan mı haber uçurdu" diye düşündü. Ama onun da hoca ile arası iyi değildi. "Muhtemelen askerî postallarımı görüp mesleğim hakkında fikir yürütmüş olabilir" diye düşündü ve kapıda duran postallarına baktı, ama onları da odanın dışarısında çıkarmıştı. Hoca sağa sola sallanarak sessizce tespihini çekmeye devam ediyordu.

– İyilik hatları dediniz hocam, bu nedir? diye sorduğunda, çatık kaşlı adamın gülümsediğini gördü.

– Evlat bu dünyada savaşan bir sizler değilsiniz. İnsanoğlu içinde Kabil'in nesli hâlâ Habillere karşı mücadelede... Ancak her yaratılmışın bir imtihan gereği mücadelesi var. İnsanların olduğu gibi cinler de bu âlemde birbirleriyle mücadeleye devam ediyor. Senin bahsettiğin Semuyt da, bizim gibi inanan Müslüman cinlerin yaşadığı beldelerin sınırı olan iyilik hatlarına sızmaya çalışan Kabil yanlısı bir ateşten iblis.

– Bu anlattığınız hususların hiçbirisinden haberim yok

– Olmaması da doğal evlat... Yüce kitabımız Kur'an-ı Kerim'de Ahkâf suresinin 29 ve 31'inci ayetlerinde Peygamberimiz Hz. Muhammed'in cinleri gördüğü olay şöyle ifade edilir: "(Habibim kavmine şu vakıayı da anlat!) Hani biz sana cinlerden bir cemaati Kur'ân dinleyenler diye göndermiştik de onlar Kuran dinlemeye hazır olunca (birbirlerine): Susunuz, (iyi dinleyin) demişlerdi. Bitirince de inzar etmek üzere kavimlerine gitmişlerdi. (Vardıklarında). Ey kavmimiz! Biz bir hitap dinledik ki O, Musa'dan sonra indirilmiştir. Ondan önceki kitapları tasdik ediyor: Hakka ve doğru bir yola yöneltiyor. Ey kavmimiz! Allah'ın davetçisine icabet ediniz ve ona iman ediniz ki, (Allah) günahlarınızdan (bir kısmını olsun) yarlığasın ve sizi çok acı bir azaptan korusun."İşte hadislerde de Kuran 'da da cinlerin var oldukları ispat edilmiştir.

– Dinimize göre cinler denilen ruhani varlıklar var yani?

– Tabi ki evlat... Peygamberimiz birçok kereler ateşten yaratılmış cin taifesiyle görüşmüştür. Cinlerden bir kısmı iman edip Müslüman olurken bir kısmı ise iman etmemiştir. Ateşe ve kendi nesillerinden olan şeytana tapan gafiller olarak kalmışlardır. İşte büyük savaş yakınlaşırken, ordular toplanırken, şeytana tapan bu cinler, öncü kuvvetlerini Müslüman cinlerin yaşadığı bölgelere gönderip bozgunculuk yapmak peşindedirler. Semuyt da ateşe tapan kötü iblis taifesinden olup hatlarımıza girmeye çalışırken yakalanan ifrit ajanlarındandır.

Atakan odaya girdiğinden beri kendini bir masal dünyasının gizemine bırakmış, hocanın anlattıklarının seyrine kaptırmıştı. Mizgin'in anlattıklarını kafasında canlandırmaya çalışıyordu ki kapıdan hocanın talebelerinden biri çıkageldi. Hoca'nın kulağına eğildi.

– Misafirimizi dışarıdan çağırıyorlar, dedi.

Atakan içeride bir şeyler daha öğrenebilme aruzundaydı ama bekleyen Mennan'ı düşünerek Mizgin Hoca'dan müsaade istedi. Köşe başında Mennan'ı arabanın önünde sabırsızca beklerken buldu.

– Ya neredesin Atakan yüzbaşım! Daha dükkânı kapatacağım. Bu deli hocanın sana bir kötülük yaptığını sandım. Meraklandım.

– Keşke biraz daha sabretseydin be ortak. Hocanın anlattıkları masal gibi ama enteresan konulardı. Anlattıklarını dinlerken vaktin nasıl geçtiğini anlamadım.

– Bak yüzbaşım, bu Mizgin Hoca için pek tekin adam değildir derler. Dünyanın her yerinden garip garip insanlar onu ziyarete gelirler. Ne işin olur böylesi tiplerle bilmem ama işte yerini öğrendin. Ben olsam bir daha bunların yanına uğramam.

Mardin'in dar sokaklarını geçip şehrin meydanına giderken Atakan'ın aklında Mizgin Hocanın anlattıkları vardı. "Mutlaka hocanın bahsettiği konuların doğruluk payını araştırmalıyım" diye düşündü. Mennan'ın şehrin merkezindeki dükkânına vardıklarında, Cimşit isimli, Mennan'ın dostlarından birini onları beklerken buldular.

Uzun burunlu, kıvrık saçları kulaklarına kadar sarkmış, konuşurken ağzından tükürükler saçan Cimşit önce Kürtçe birkaç kelime söyledi. Mennan, Atakan'ın, arkadaşının Kürtçe konuşmasından rahatsız olacağını düşünerek Türkçe konuşmayı yeğledi.

– Erken gelmişsin Cimşit. Bak seni arkadaşımla tanıştırayım: Atakan. Kendisi şehrimize İstanbul'dan geldi...

Cimşit'in yüzündeki sonradan görme ukala ifadesinden Atakan hiç hoşlanmamış, elini mecburen uzatmıştı. Cimşit de bu soğuk tavrı farkedip tekrar Mennan'a döndü.

– Nerelerdesin Mennan? Hani bu gece âleme takılacaktık? Paraları ayarladın mı? diyerek gevrek gevrek gülmesine devam etti.

Mardin'de sarraflıkla uğraşan Cimşit, şehrin ileri gelen ailelerindendi. Mennan, akşamları pek fazla bir eğlencesi olmayan bu şehirde Atakan ile tavla oynayarak geçirdikleri vakitten ikisinin de zevk aldığını görünce, yüzbaşıyı bu zevkin daha ötesine götürmeye karar vermişti.

– Bu gece daha büyük eğlenceye var mısın? deyip Atakan'ı da davet etti.

Önce bu teklifin ne anlama geldiğini anlamayan Atakan, biraz olsun kafasındaki düşüncelerden kurtulmak adına gelen davete hayır demedi. Bir müddet dükkânda vakit geçirdikten sonra Cimşit'in dükkânın önüne çektiği son model Mercedes arabasına binerek Mardin'in sokaklarından şehrin dışına, bağ evlerinin yer aldığı mekâna doğru gitmeye başladılar. Atakan şehirden uzaklaşırken biraz tedirgin olunca;

– Gittiğimiz yerde beni tanıyanlar olursa işimi zora sokmayayım. Ne de olsa askerim, diye sordu.

– Yok, beyim ben seni zora sokar mıyım? Sadece şehrin kalburüstü takımı davetli...

Atakan, Cimşit'in yüz ifadelerinden ve konuşmalarından rahatsız olmuştu bir kere. Yine de merağına yenilip teklife hayır diyememişti. Geceler bu şehirde çok zor geçiyordu. Karargâhta işi bittikten sonra eğer nöbete denk gelmemişse uzun bir gece televizyon seyretmekten başka yapacak bir işi olmayan Atakan, bir gecelik farklılığı cazip görmüştü.

Cimşit'in arabası bir süre asfaltta gittikten sonra stabilize yola dönerek ovanın içerisinde çevresi ağaçlarla kaplı lüks villanın önünde durdu. Arabadan indiklerinde evin içerisinden gülüşmeler geliyordu. Cimşit:

– Oo, bakın beyler, bizimkiler önce gelmiş, diye seslendi.

Atakan'ın çekingen tavrını gören Mennan, ona gerçekten rahat olmasını söyledi. İçeriye girdiklerinde, fakirliğin kol gezdiği ve tezekten evlerin yapıldığı bu köy yerinde, böylesine muhteşem bir malikâneyi gören Atakan'ın gözleri hayretle açıldı.

– Mermerler İtalyan, dedi Cimşit. Sonra buranın yörede komisyonculuk yapan dedesi tarafından özenle yaptırıldığını, her mobilyasını Londra'dan seçildiğini ballandıra ballandıra anlatmaya başladı. Atakan, tanıştıklarından bu yana kendini öven sözlerinden dolayı Cimşit'in gerçek bir sonradan görme olduğunu anladı.

İçeride çiğ köfteler yapılmış, sofra yöresel yemeklerle donatılmıştı. Masanın etrafında toplanmış, giyimlerinden zenginlikleri belli olan kişiler, yörede âdet olduğu üzere Atakan'a tek tek sarılarak hoş geldin dediler. Hep beraber masaya geçildiğinde, mutfaktan çıkan bayanlar ellerinde envai çeşit içkileri masaya servis yapmaya başladılar. Hizmetçi bayanların lisanlarının bozuk olduğunu gören Atakan'ın kulağına Mennan eğilip;

– Bu dilberler Rus kökenli sanırım. Yaşasın Perestroika! diye gülümsedi.

– Cimşit bu villaya hizmet etmeleri için Moldova'dan getirdiği bayanları geceleri misafirlerin hizmetinde kullanıyor.

Yemekler yenildikçe içkiler masada su gibi akmaya başladı. Kel kafası geniş vücudunda bir nokta gibi kalmış, gözleri pörtlek olan misafirlerden biri:

– Masaya geçelim mi? diyerek seslendiğinde, yemek masasında oturanlar yerlerinden kalkarak yan odaya doğru yöneldiler. Atakan davette önce içkiye direnmişti. Ama Cimşit'in bir şey olmaz zorlamalarıyla başladığı bir duble rakı, gecenin ilerleyen saatlerinde sayısını bile hatırlayamadığı kadehlere dönüşmüştü.

İç odaya geçildiğinde yeşil kadife kaplı bir masanın çevresindeki boş sandalyelere herkes birer birer oturdu. Burası kumar oynamak için dizayn edilmiş bir odaydı. Mennan, Atakan'ı kendi yerine buyur etti. Atakan parası olmadığını ve yandan oyunu izlemek istediğini söyledi. Masaya getirilen temiz desteler dağıtılırken, Atakan'in belki de ömründe bir arada göremeyeceği kadar para masanın üzerinde uçuşuyordu. Masadakilerden biri "1000 dolar daha" derken diğeri "benden de 5000 dolar" diye arttırıyor, bazı poker partisi 50.000 dolara kadar çıkıyordu. Atakan masayı seyredip Moldovalı kızların getirdiği viskileri yudumlarken cep telefonu çaldı.

Telefonda Şebnem'in aradığını görünce, sesli ortamda onunla görüşemeyeceğini anlayıp dışarı çıkmak için müsaade istedi. Telefondaki ses telaşlıydı.

– Neden telefonu geç açtın Atakan?

Atakan ise sarhoşluğun etkisiyle dilinin sürçmemesi için kelimelerini toplayarak konuşma çabası içerisindeydi. Şebnem, gittiğinden bu yana doğru dürüst aranmadığından sitem ediyor ve sebebini soruyordu.

– Bilmiyorum Şebnem. Alışamadım buralara.. demeye çalışırken içerideki Moldovalı kızlardan biri dışarıya çıkıp bozuk lisanıyla;

– Beyefendi sizi içeriden çağırıyorlar, diye seslendi.

Telefonun ucundaki Şebnem, müzik seslerine karışmış bayanın sesini duyunca daha da meraklanmıştı. Ancak, "neredesin ne yapıyorsun?" soruları havada kaldı. Atakan "ben seni sonra ararım" diyerek telefonu kapatıp kumar odasına yöneldi. Mennan iyice yolunmuş olacak ki:

– Benim şansım tutmuyor. Atakan sen benim yerime oyna, diye ısrar edince, Atakan alkolün de vermiş olduğu cesaretle bu teklife hayır diyemedi.

Masadaki kâğıtlar ona, o masadaki kâğıtlara bakıyordu. Eline alsa sanki yakacakmış gibi duran kâğıtlara uzanıverdi elleri. Beyni uyuşmuş gibiydi, hâlâ avuçlarının içinde kâğıtların soğuk yüzünü hissedemiyordu. Kendini toplayarak desteyi karıştırmaya başladı. Mennan'ın aşırı ısrarı ile iskambil kâğıtlarını eline alan Atakan'ın ustalıkla diğerlerine dağıttığını gören Cimşit:

– Arkadaşın âlemin yabancısı değil demek, diye seslendi.

– İstanbul'da bir ara kumar masalarına takılmıştım, dedi Atakan. Evet, cidden bir süre kumar hastalığa tutulmuş ve elinde ne var ne yoksa kaybetmişti. Şebnem'le tanıştıktan sonra bu illetten kendini kurtarmıştı. Kendisini tekrar kumar masasında görmek içine hem tarif edilemez bir haz bir yandan da huzursuzluk veriyordu. Bir süre sonra aklından bütün değer verdikleri silinmiş, tamamen masanın yeşil örtüsü üzerine düşen kâğıtlar, papaz, vale, kız, sinek onluları almıştı. Gecenin ilerleyen saatlerine kadar Atakan'ı durdurmak mümkün olmadı. Mennan'ın masada kaybettiklerinin hepsini kazanmış, bir o kadarını da üzerine eklemişti. İçkilerin su gibi aktığı masada bütün bardaklar boşalmış, içeriyi saran sigara dumanından göz gözü görmez olmuştu ki, Cemşit:

– Beyler bu gecelik bu kadar yeter mi? diye sorunca masadakiler yavaşça toparlanmaya başladılar. Atakan ise yarışın yarısında kalmış bir koşucu gibi, hâlâ kazanma heyecanı içerisindeydi. Büyülenmiş ruh halinden onu Mennan dürtükleyerek uyandırdı.

– Yorulduk artık. Bu kadar yeter yüzbaşım, dedi.

Şehre geri dönerlerken Mennan, Atakan'ın kumarda kazandırdığı paraların yarısını kendisine uzattı. Atakan parayı almak istemese de montunun iç cebine zorla sokuşturan Mennan, arkadaşını kaldığı eve kadar onu götürdü.

Atakan eve girdiğinde gözleri dönüyordu. Işığı açmak için anahtarı zar zor buldu. Uzun zamandır içkili ortama takılmamıştı. Gece boyunca içtiği onca içkinin ağırlığını kanepeye uzandığında anladı. Başı beton gibi ağırlaşmış, gövdesi kendini taşıyamaz hale gelmişti. Flüoresanın beyaz ışığı göz bebeklerini yaktığından, gözlerini açıp kapamaya başladı. Işığa baktığında gecenin sesleri, Moldovalı güzellerin içkisini doldururkenki gülücükleri beyninde yanıp sönüyordu. Gözlerini kırpıştırdıkça geçmiş mekânların ve seslerin kendisi bir girdap içine çektiğini hissederken, beyaz ışığın sisleri içinden gelen birisini görmeye başladı...

Beyaz ışık bir anda başka beyaz halkalarla iç içe geçerek binlerce beyaz tüle dönüşüverdi. Beyaz tüllerin arasından ince ve sarı saçlı bir yüz beliriverdi karşısında. Sarı saçların, rüzgarda savruluyormuşcasına tüllerin arasında uçuştuğunu farketti. Gözlerini daha yukarıya kaldırdığında, masmavi gözleri ve kırmızı dudaklarının arasında ona tebessüm eden peri gibi güzel bir kadın gördü. Kadın ellerini uzatıp, "Beni tanımış olmalısın. Ben Haleda'yım." diye fısıldadı. Atakan kendini sesin buğulu çekiciliğine bırakmış, büyülenmişcesine sadece onu izliyordu. Sonra ışığın içerisinde kadının elleri beliriverdi ve Atakan'ın ellirini tuttu:

"O korkaktı ama sen değilsin. Sen güçlüsün." derken, kadının alnında parlayan yakıcı ışığın kalbine doğru yöneldiğini hissediyordu. "Sen yapabilirsin. Kardeşimi kurtar ve beni sahiplen!" diyerek, alımlı bir eda ile uzun sarı saçlarını yüzüne ve kulaklarına doğru sarıyordu. Kokusu muhteşemdi. Kırmızı dudakları dudaklarına doğru giderken, bir anda peri güzelinin arkasında kırmızı gözlü çirkin varlıkların belirdiğini gördü. "Onlara bakma, beni kurtar!" diyen güzeller güzeli kadın, bir anda beyaz ışığın içerisinde toz bulutu şeklinde kayboldu. Ona ulaşmak için ellerini kaldırdığında, yattığı kanepeden yere yuvarlandı.

Atakan, içkinin tesiri ile rüya gördüğünü sandı. Kan ter içinde kalmıştı. Bir müddet kendine gelmeye çabalasa da yattığı yerden doğrulamadı. Kafası kazan gibiydi. Saate baktı, sabah olmak üzereydi. Minarelerden yükselen sabah ezanı dalga dalga yayılırken, yeniden uykuya daldı.

* * *

Mardin Tugay Karargâhı. Saat: 07.30

Gecenin ağırlığı hâlâ üzerinde olduğu halde, sabah karargâhtaki tekmil törenine zar zor yetişebildi. Odasındaki ileri birliklere gidecek malzemelerin sevkıyat fişlerini imzalarken, görevli bir astsubay odasına girdi.

– Atakan yüzbaşım, sizi tabur komutanımız görmek istiyor, dedi. Atakan hayatında bir şeylerin düzgün gitmediğini biliyordu. Tedirginlik içerisinde üstünü başını düzelterek, soluğu Tabur Komutanı Fahri Albayın kapısında aldı.

— Beni istemişsiniz komutanım, diyerek tekmil verdi.

Albayın yanında duran kayış suratlı, esmer ve soğuk bakışlı S2 iç istihbarat subayının, Albay'a bir dosya uzattığını gördü. Albay yanındaki subaya "sen çıkabilirsin" diyerek odada Atakan yüzbaşıyla yalnız kalmak istedi. Bir süre masasının üzerindeki dosyayı inceledikten sonra;

– Burada yeni olduğunuzu biliyoruz yüzbaşım. Yeni birliğinize alışmanız için şimdilik size fazla zor olmayan bölümlerde görev vermekteyiz. Ancak intibak süreniz dolduktan sonra sahra birliklerinde önemli görevler üstleneceksiniz. İstanbul gibi büyük şehirlerden gelen bütün muvazzaf arkadaşlar bu küçük şehre alışmakta zorlanırlar. Ancak burası İstanbul'a benzemez, küçük bir şehirdir. Yaptığınız her hareket, gittiğiniz her yer ve görüştüğünüz her kişiye dikkat etmek zorundasınız.

Odadan az önce çıkan yüzbaşı, son zamanlardaki tavırlarından ötürü olumsuz rapor hazırlamış olacak ki tabur komutanı Atakan'ı uyarma gereği hissetmişti. Mennan ve Cimşit ile gece âlemlerine ve kumara takılması yetmezmiş gibi bir de Mizgin Hoca ile görüşmesinin hemen rapor edildiğini anladı. Komutan onu süzüyordu.

– Dilersen yüzbaşı, sana intibak süresi içerisinde biraz hava değişimi izni verelim. Git, gel; daha sonra asıl vazifene başlarsın...

Üzülmüştü. Aslında Mardin'e gelirken hiç de böyle kötü bir çevre edinme niyeti yoktu. Ancak her ne ise olmuş, İstanbul'da verilen o son görevin etkisiyle bocalayan ruh halinden kurtulamamıştı. Üzeyir vakasındaki içini kemiren sorular, hayatında anlamsız kararlar almasına sebep oluyordu. Fakat içindeki bu çalkankıyı komutanına söyleyemezdi. Kendini toparlayarak;

– Teşekkür ederim ama şimdilik gerekli değil komutanım, dedi. Ancak hassasiyetinizi anlıyorum, daha dikkatli olmaya çalışacağım.

Dışarı çıktığında kendini bir ölü kadar güçsüz hissediyordu. Bütün psikoloji kitapları, sorunları görmezlikten gelmektense kendine itiraf edip üzerine gitmek gerektiğini ilk ders olarak veriyordu. Eski kumar alışkanlığı Cimşit'in sağladığı ortam sayesinde yeniden filizlenmiş, üstüne üstlük bıraktığı alkol hayat düzenini tekrar alt üst etmeye başlamıştı. "Bir an önce kendimi toparlamalıyım" diye düşündü. Odasına geçtiğinde yapması gerekenleri bir yol haritası şeklinde kâğıda döktü. Programlı bir yol takip ederse bütün sorunlarından kolayca kurtulabileceğini tasarlıyordu. Asıl soru, değişime nerden başlamalıydı?

Oysa İstanbul ne güzeldi. Şebnem'in varlığının ve desteğinin kendisi için ne kadar önemli olduğunu düşündü. Onu arayıp sormanın, birlikte geçirilen vakitlerin hayatına nasıl bir düzen getirmiş olduğunu farketti.

Kendini bir an önce işlerine vermeliydi. Gözleri, masasına gelen birikmiş evraklara kaydı. "Hemen bütün yazışmaları yapmalı, emirleri yerine getirmeliyim" diyerek görev dosya klasörünü eline aldı. Birkaç yazışmanın cevabını kurşun kalemle beyaz kâğıda karalayıp, yazıcı askerlere, emirleri daktiloya geçmeleri emrini verdi. Gizli ibareli diğer emirleri gözden geçirdi.

12 Ocak tarihli sarı zarfta, içinde Balkanlar'da icra edilecek 239 numaralı NATO tatbikatlarının bir devamı olarak Güneydoğu illerindeki öncelikli muhabere alan ve istikametlerinin bildirilmesine yönelik bir emir gördü. Canı sıkıldığı zamanlarda beyaz kâğıdın üzerine aklından geçen rakamları değişik şekillerde yazarak rahatlardı. Zihni Şebnem'le geçirdiği vakitleri düşünürken, gayri ihtiyarı bir şekilde tatbikatın numarasını önünde duran beyaz kâğıda defalarca yazdığını farketti. Müsvette kâğıdına anlamsız gözlerle bakarken, bir anda yeni birşey keşfetmenin heyecanıyla yazdıklarını okumaya başladı. Karargâhta kendisinden önce bu vazifeyi yapan subayı tanıyordu. Elindeki tatbikat verili emrini alıp koltuğundan hızla kalkarak ilgili subayın yanına gitti. Subay onun telaşlı halini görünce;

– Buyur Atakan yüzbaşım, bir şey mi oldu? diye sordu.

Atakan, onlarca kere "239" yazdığı kâğıdı subayın gördüğünü farkedince, kâğıdı çevirdi.

– Siz benden önce tatbikat yazılarının dağıtımıyla uğraşıyordunuz. Bu kış icra edilecek 239 kodlu Balkanlar NATO tatbikatının bir benzeri geçen sene de yapıldı mı acaba?

– Tabi ki. Bu tatbikatlar her yıl icra edilen düzenli tatbikatlardandır.

– Peki, nerede icra edildi ve numarasını hatırlıyor musun?

Subay biraz düşündükten sonra;

– 1. Ordu Komutanlığı refakatinde Trakya'da gerçekleştirilen düzenli NATO tatbikatlarından. Ancak ileri harekât tarzları bütün sınır noktalarına iletildi. Bizim Mardin Tugayı'da bunlardan birisidir. Numarası ise...

Biraz düşündü ama tatbikatın numarasını hatırlayamadı. Bir müddet daha düşündükten sonra;

– Bu seneki tatbikatın numarasını biliyorsan Atakan yüzbaşım, geçen seneki de bunun bir alt numarasıdır. Bu seneki kaç numara?

– Bu seneki 239 ise, o halde geçen yılki de 238 oluyor değil mi?

Atakan zihni türlü düşünceler içersinde dalgın bir halde teşekkür ederek, subayın cevabını beklemeden odasına yöneldi.

Hızla, Üzeyir Kaman dosyasıyla ilgili notlarını yazdığı defteri çekmecesinden çıkardı. Tatbikatın düzenlendiği yer ve zaman, Üzeyir'in bahsettiği Haleda isimli gizemli kızı çeşmenin başında gördüğü ana denk geliyordu. Üzeyir'in Amerikan askerî birliklerine ait olan gizli kodları eline geçirdiği zaman Kasım ayı idi ve o süre içerisinde 238 numaralı NATO tatbikatı, Üzeyir'in çalıştığı şantiyenin bulunduğu bölgeye çok yakın bir yerde gerçekleşiyordu. Notlarını yeniden karıştırdığında, Üzeyir'in ilk ifadelerinde, karşısına çıkan Helâda isimli ruhani varlığın yaşını 238 olarak söylediğini gördü.

Atakan, o haftayı Üzeyir'in anlattıklarını yeniden okuyup derlemek ve ulaştığı bilgileri tasnif etmekle geçirdi. Olaya farklı gözlerle bakmaya ve konuyu araştırıp yarım kalmış bu incelemenin ruhunda oluşturduğu kargaşayı silip atmakta kararlıydı. Geceleri gördüğü rüyalar artmış, nöbetleri ve kâbusları yüzünden sabah daha da zor uyanır hale gelmişti. "Bu düğümü çözmek için her bilgiden faydalanmalıyım" diyerek Mizgin Hoca'nın yanına tekrar gitme kararı aldı. Ne tabur komutanının uyarıları ne de Şebnem'e karşı olan sorumlulukları, onu bu olayı bir sonuca ulaştırmaktan alıkoyamazdı. Eğer son görevine karşı vicdanını rahatlatamaz ise bundan sonraki görevlerinde de başarılı olamayacağına emindi. Mizgin Hoca'nın bahsettiği konulara çok yabancıydı. Yanına gitmeden önce biraz daha bilgi sahibi olabilmek düşüncesiyle, yanındaki astsubaya, bulabileceği en yakın kütüphanenin neresi olduğunu sordu.

Mardin ili son zamanlarda yerli ve yabancı turist akınına uğradığından, gelişmiş arşivi olan bir kütüphanenin hükümet binasının yanında yeniden düzenlenerek açıldığını öğrendi. Birliğinden bir vesileyle erken ayrılarak, bir an önce ulaşmak için kütüphanenin yolunu tuttu.

Kütüphaneden içeriye girdiğinde rafların önünde yaşlıca, tombul bir adam onu karşıladı. Kütüphane sorumlusu olduğunu düşündüğü adamla konuşarak, araştıracağı konular hakkında hangi kaynaklara başvurabileceğini öğrenmek istedi.

– Merhaba, ben bir konuyu araştırmak istiyorum, siz buralarda eskisiniz sanırım, diye söze girdi.

Kitapların tozlarını silerek raflara yerleştirmeye çalışan ihtiyarın kulaklarının pek duymadığı belliydi. Sesini yükselterek tekrarladı:

– Merhaba. Buralarda eskisiniz sanırım!

– Hayır, dedi adam. Ankara'dan buraya geleli üç ay oldu. Kütüphanenin yeniden düzenlenmesi için görevlendirildim.

Gülümseyerek fısıldadı: "Bir nevi sürgün..."

– Ama kitapları çok iyi tanırım. Siz hangi konu hakkında araştırma yapacaksınız?

– Cinler, görünmeyen varlıklar hakkında bilgi edinmek istiyorum. Bir de iyilik hatları, ley hatları falan…

Görevli bir süre düşündü. Ancak, Atakan'ın istediği bilgiler hususunda kütüphanede herhangi bir kitap olmadığını söyledi. Sonra aklına bir fikir geldi.

– Benim bilgisayarımdan internete girerek belki bazı şeyler öğrenebilirsin, diyerek Atakan'ı kendi masasına davet etti.

.Atakan büyük bir memnuniyetle bilgisayarın başına geçti. Arama motorlarından istediği bilgilere ulaşma çalıştı. Birkaç sitede sörf yaptı. Mizgin Hoca'nın "iyilik hatları" dediği şeyin bilimsel terminolojide "ley hatları" olarak geçtiğini keşfetti. Yazılanlar çok ilginçti. Bir kısmını not alarak, Üzeyir Kaman dosyasına ilave etti.

"Ley hatları, yeryüzünün jeolojik yapısının devingen fiziksel ilkesi olan enerji matrisini oluşturur. Ley hatları, yeryüzü ruhunun büyülü bedeninin temel yapısıdır. Daha iyi anlamak için yeryüzünü yoğun bir fiziksel varlıktan çok, iç içe geçmiş elektrik enerjisi hatlarından oluşan, enerji ağlarıyla örülü bir küre olarak düşünmek yararlı olabilir. Bu hatların uzunluğu sekiz kilometreden yaklaşık üç bin kilometreye kadar değişebilmektedir; genelde düz olmalarına karşın uzun mesafelerde hafifçe dalgalanabilirler; genişlik ve enerji şiddetinde de farklılık gösterirler. Hatların bir kesiti alındığında, hattın kum saati biçiminde olduğu ve en dar kısmının yeryüzünün yüzeyiyle kesiştiği noktada ortaya çıktığı görülür. Ley hattı yeryüzünün hem altında hem de üstünde uzanmaktadır."

Gözlerinin bilgisayara dikkatlice bakmaktan yorulduğunu anlayınca ovuşturmaya başladı. O anda kütüphane görevlisi ona bir kitap uzattı.

– Bak evlat, bu kitap biraz eski ama sanırım senin istediğin bilgileri burada bulabilmen mümkün, diyordu ki telefonu çaldı. Arayan Mennan'dı. Bu geceki eğlence ve kumar âlemine Atakan'ı çağırıyordu. Bir an komutanının dedikleri geldi aklına ve işini bahane ederek teklifi nazikçe reddetti. Biliyordu ki bir daha kumar masasına dâhil olursa çıkamayacağı bir girdabın içine sürüklenecekti. Gerçi son oyununda kazandığı paralar bir hafta boyunca çok işe yaramıştı. Mesleğinden gelen dikkati ve hassasiyeti, oyun kâğıtlarını takip ederek kazanmasında ona üstünlük sağlıyordu. Hile olmadıktan sonra kaybetme olasılığı az görünse de, kumarın bir sonu yoktu.

Kütüphane görevlisinin önerdiği kitabı da alarak, evine gidip sakin bir gece geçirmek istedi. Bekâr evinde basit yemekler tüketiyordu. Marketten aldığı dondurulmuş ton balığı salatasını mikrodalga fırında ısıtarak kendine mütevazı bir sofra hazırladı. Masanın başında bir yandan atıştırırken diğer yandan kütüphaneden aldığı kitabı karıştırmaya başladı.

Okudukça Mizgin Hoca'nın bahsettiği Müslüman cinlerin yaşam bölgeleri sınır hatlarının aslında birçok kültürde var olduğunu gördü.. İnsan bedeni saran ve sinir sistemine akan biyoenerji gibi dünyayı enlemesine ve boylamasına saran, yerkürenin iç dinamiği ile ilgili seyyal enerji damarlarına Keltlilerin peri, Çinlilerin ejderha gibi değişik isimler taktıklarını gördü.

Fizik ve matematik profösörü John Taylor'un Dr Eduardo Balanovski ile yapmış olduğu bir araştırma ise; dört metrelik tarihî bir taşı incelediklerini ve İngiltere'de yaptıkları tespitlerde taşın spiral bir enerjiyi uzaya kadar yaymış olduğundan bahsediyordu. Ley hatlarının sınırlarına insanlar tarafından yerleştirilen bu taşların tesadüfî olarak belirli hizalarda ve mesafelerde konumlandırıldığını düşünen araştırmacılardan Sir Norman Lockyer'in araştırması da bir hayli ilginçti. Ley hatlarının sınırlarına konulan taşların belli bir enerji yaydıklarını ve bu taş yapılardaki enerjinin, uzaydan gelerek dünyaya kadar inen kozmik ışınları durdurup koruyucu bir kalkan vazifesi gördüğünü tespit etmişti.

Okuduklarını Mizgin Hoca'nın sözleriyle karşılaştırdığında, bilimin "ley hatları" dediği şeyin, Hocanın şeytani cinlerden korunmak için güvenli bölge kabul edilen alanın sınırları olabileceğini düşündü. "En iyisi Mizgin Hoca'ya tekrar gitmek" diye geçirdi içinden

Sabah karargâha vardığında bir an önce mesainin bitmesi için sabırsızlanıyordu. Karargâhta arazi personeli haline gelmesine az bir süre kalmıştı. Bir an önce aklındaki soruların cevaplarını bulmalıydı. İçini yiyip bitiren ve son zamanlarda yaptığı bütün işlerden onu alıkoyan düşüncelerden uzaklaşarak kendini işlerine vermeliydi.

Akşamüzerine doğru sokak aralarından süzülerek Mizgin Hoca'nın evine doğru yola koyuldu. Dar sokaklarda ayak sesleri yankılanırken, yine garip gölgelerin kendisini takip ettiği hissine kapıldı. Ne yapsa bu düşüncelerden kurtulamayacaktı. Adımlarını sıklaştırdığında sanki arkasından takip eden gölgeler de hızını arttırıyordu. Sokağın ucundaki köşe başına doğru hızla hamle yaparak saklandı. Birkaç ayakkabı sesi kaldırımlarda yankılandıktan sonra sesler bir anda kesildi. Göz ucuyla yavaşça sokağın ucuna baktığında, sokak lambalarının tesiriyle yola düşen gölgeler gördü. Mizgin Hoca'nın evine koşar adımlarla giderek oradan uzaklaştı.

Evin önünde, değişik kıyafetler içindeki adamları gördüğünde onlardan birini tanımış, korkuları biraz olsun azalmıştı. Kapıda bekleyenlerden biri, ilk geldiğinde Mizgin Hoca'nın yanında ona kitap uzatan adamdı. Yanına yanaşarak, Mizgin Hoca ile tekrar görüşmek istediğini söyledi. Adam Atakan'ı çıkaramamış olacak ki, kalın kaşlarını çatarak kısa ve net bir ifadeyle;

– Şu an misafirleri var, dedi.

– Peki, ne zaman görüşebilirim? Çok acil, diyerek ısrar etse de adam oralı olmadı. Bir ara kapı açıldığında içeride Mizgin Hoca'yı görür gibi oldu. Salon çok kalabalıktı. İlk geldiği günden farklı olarak bu yörenin insanı olmadığı giyimlerinden belli olan kişiler Mizgin Hoca'nın çevresinde kümelenmişlerdi. Atakan her ne olursa olsun bekleme kararı aldı. Bir süre sonra odadan çıkan uzun külahlı birisi çatık kaşlı hizmetçinin yanına gelerek kulağına bir şeyler fısıldadı. O anda yüzünde kocaman iz haline gelmiş şark çıbanını kaşıyan adam Atakan'a dönerek;

— Sen o geçenlerde gelen adam mısın? diye, garip bir soru sordu. Daha cevap vermesine fırsat vermeden;

— Hocamız seni bekliyor. Üzerini düzelt de odaya gir, dedi.

Atakan koşmaktan bütün boynuna dolanmış ve ucu yerlere

sürünen atkısını düzelterek kapıya doğru yöneldi. Salona girdiğinde, dışarıdaki karanlığın büyülü atmosferini bozmayacak şekilde camların derin yarıklarına konulmuş mumlukların içeriyi aydınlattığı loş mekânda insanların kümeler halinde sessiz bir bekleyiş içerisinde olduğunu gördü. Mizgin Hoca her zamanki yerinde oturmuştu. Ancak bu sefer üzerinde ilk gördüğünden farklı olarak tören kıyafetlerine benzer parlak sarı elbiseleri vardı. Beyaz geniş külahlı sarığının başladığı yerden akan terler alnından beyaz sakallarına girip kayboluyordu. Hemen yanında ise, farklı kıyafetlerinden buralı olmadığı belli olan kendi yaşında adamlar dizüstü oturmuş bekliyorlardı. Atakan "tam bir ayinin içine düştüm" diye düşündü. Odanın bir köşesine sinerek, diğerleriyle beraber elpençe durur vaziyette neler olacağını beklemeye koyuldu.

Mumlukların içinde yanan tütsü dumanı odanın ortasından sanki havada kıvrılarak dans eder gibi kubbeli tavana doğru yükseliyordu. Halkanın içine dizilmiş adamlar, içlerinden ağıt gibi değişik Arapça sözler okuyorlar, mırıltılar odanın içinde bir arı kovanını andırır şekilde yankılanıyordu. Mizgin Hoca, yanında duran hizmetçisine Atakan'ın ilk geldiğinde istediği kalın kaplı siyah defteri işaret etti. Ancak bu sefer rahlenin üzerine okka içerisinde yazı yazmak için bir de divit konulmuştu. Odada birilerini bekleyiş vardı ama kimi veya neyi olduğunu merak eden Atakan'ın bekleyişi fazla uzun sürmedi.

Kapıdan iki tane izbandut gibi adam nefes nefese çıkageldiler. İkisinin de ellerinde parlak yeşil satene sarılmış bohçalar duruyordu. Halka olmuş adamlar odanın ortasına gelerek, dualar eşliğinde yeşil bohçaların uçlarını tutarak ortaya yaymaya başladılar. Onlar bez parçalarının her bir ucunu açtıkça, salonun taş duvarlarında halkaya dâhil olmuş hocaların mırıltılı sesleri daha da yankılanmaya başladı.

Atakan merakla getirilen bohçaların içinden ne çıkacağını beklerken, iç içe konulmuş bohçalar tamamen açıldığında içlerinde hiçbir şeyin olmadığını gördü. Ancak o ana kadar odanın ortasında duran yanık tütsünün dumanı direk tavana ulaşırken bu sefer değişik bir hava akıma kapılmışçasına iki saten bezin tam ortasından geçerek orada girdap yapmaya başladı. Mizgin Hoca Arapça birkaç kelime söyledikten sonra saten kumaşların olduğu yönü halkanın içerisindeki hocalara işaret ederek;

– Hamnuar? Efoyut? Nereden geliyorsunuz? dedi.

Bu soruyu birkaç kez sordu. Atakan bu ihtiyar hocanın bir tütsünün dumanıyla konuşmasını yadırgamış tam gülecekti ki, Mizgin Hoca bu sefer daha da yüksek sesle;

– La edri. La edri. La edri, diye odanın ortasında bağırmaya başladı. O anda rahlenin ucunda duran diviti okkaya batırdı. Atakan olacakları bütün dikkatiyle izliyordu. Mizgin Hoca diviti okkaya batırdığında, tütsünün dumanlarının adamların ortaya koyduğu yeşil bezlerin üzerinde küçük çirkin insan tipinde bir şekle büründüklerini gördü. Küçük adam şeklini alan bu iki siluetin Mizgin Hoca'nın her el hareketi ile dumandan vücutlarına bıçak saplanıyor ve acı çekiyormuşçasına kıvrandıklarını görüyordu. Kalın kaplı kitaba divitin ucu değdiğinde ise, kapının önündeki sokak köpeklerinin acı çeken havlamalarına şahit oluyordu.

Mizgin Hoca'nın divitinden çıkan ve küçük birer insana benzeyen yeşil kıyafetler içerisindeki siluetler ise, bohçaların içinden çıkan diğer çirkin ruhani varlıkları boğazlarına halkalar geçirmişçesine çekerek defterin içine doğru götürmeye başladı. Hocanın el işaretiyle, halkadaki bütün hocalar ellerine aldıkları nohut büyüklüğündeki taşları bohçanın içerisine doğru atmaya başladılar. Onların her taş atışlarında sokak köpeklerinin havlamaları acı çeken bir insanı andırıyormuşçasına yükseliyordu. Taşlar atıldıkça halkadaki bütün hocaların yüzlerinden terler boşanıyor, sanki görünmeyen varlıklarla mücadele ediyorlarmış gibi suratları eğri büğrü oluyordu. Bir ara Atakan'ın tam karşısında duran hoca dayanamadı. Tütsü dumanı yüzüne doğru yanaştığında bir çığlık koparak yere yuvarlandı. Diğerleri ise hâlâ, yeşil varlıkların boyunlarından tuttukları bohçanın içinden çıkan diğer varlıklara küçük taşlar atmayı sürdürüyordu. Halkadan yere yuvarlanan hoca ayağa kalktığında, yüzünün bir tırnak izi gibi boydan boya çizildiğini, kanların beyaz sakallarına doğru süzüldüğünü gördü. Artık ortalık bir dehşet tablosuna bürünüyordu.

Mizgin Hoca siyah kaplı kalın deftere içinden dualar okuyarak "Hamnuar, Efoyut" diye yazdıkça tütsünün dumanının sakinleştiğini ve dışarıdaki köpek ulumalarının azaldığını gördü. Son harfi de deftere geçirdiğinde tütsü bitmiş, odada derin bir sessizlik hâkim olmuştu. Bohçaları getiren adamlar tekrar açtıkları gibi özenle katladılar ve Mizgin Hoca'nın elini öperek odadan büyük bir saygı ifadesiyle çıktılar. Halkaya dâhil olmuş diğer hocalar sanki bir savaştan çıkmış gibi nefes nefese kalmış, yorgun düşmüşlerdi. Mizgin Hoca yazdığı isimlerin üzerini son bir kez üfleyerek, yardımcısına kitabı aldığı yere koymasını söyledi. Oda sakinleştikten sonra o değişik lisanı ile yardımcısına;

– Misafirlerimize odalarını göster, diye seslendi. Halkanın içerisindeki diğer misafirler yavaşça ayağa kalkıp Mizgin'in önünde sıralandılar. Elini öpenler salondan çıkarak evin diğer odalarına doğru dinlenmeye çekildiler. Atakan saatine baktı. Vakit epey geç olmuştu. Odada Mizgin Hoca ile başbaşa kaldıklarında, hoca ona seslendi.

– Gel bakalım meraklı dostum, yanıma otur, dedi.

Mizgin Hoca, Atakan'ın meraklı gözlerinden, şahit olduğu dini ayinin ne anlama geldiğini merak ettiğini anlamıştı. O bir şey sormadan;

– Yeşil saten bohçalar içerisinde getirilenler, senin sorduğun Semuyt gibiler şeytani cinlerin ileri gözetleyicilerdi...

Atakan merak ve şaşkınlık dolu bir ifadeyle hocanın sözlerini tamamlamasını bekliyordu.. Mizgin devam etti:

– Bu sefer yakalanan ifritlerin ismi Hamnuar ve Efoyut idi. Senin sorduğun Semuyt'un krallığının gölgelerinden gelmekteler.

– Yani bu ne demek oluyor?

– Olaylara senin de şahit olmanı istedim. Sen bir askersin. Biz de ruhaniyetin askerleriyiz ama senin anladığın manada değil. Sizler bu âlemin savaşçılarısınız ama bu dünya sadece bir âlemden müteşekkil değil evladım. Mekânlar ve zamanlar birbiri içerisinden geçmiş halkalar gibidir. Biz insanlar aynı mekânları ve zamanı farklı boyuttaki canlılar ile paylaşıyoruz.

– Biliyorum efendim. Cinler konusunda sizden sonra araştırma fırsatım oldu.

Cinler, deyince Mizgin Hoca'nın beyaz sakallarını yanaklarından yukarıya doğru çekerek gülümsediğini gördü.

– Evet evlat. Nasıl ki biz insanların yaşadığı ülkelerin sınırları var. Bizimle beraber aynı mekânlarda yaşayan diğer hayatların yani cinlerin de yaşadıkları ülkelerin sınırları var. Nasıl ki bizler kendi sınırlarımız içerisinde güvenliği sağlamak için siz askerlerin yardımına muhtacız. Onların da kendi sınırlarını korumaları için hayat mücadeleleri var.

– Peki, sizin bu mücadelede yeriniz nedir ki? Sonra Semuyt denilen, Üzeyir'in bahsettiği varlığın bu olanlarla ne alakası var?

– Evlat, Semuyt da bugün gördüğün ruhani varlıklardan. Rahmani cinlerin yaşadığı bölgelere sızmaya çabalayan şeytani varlıklardan birisi . İyilik hatları içindeki Mezopotamya ovasında güvenle yaşayan rahmani cinlerin içerisine girip bozgunculuk yapmak isteyen şeytani cinlere karşı bizler yardım etmekteyiz. Biz, iyilik hatlarının insan koruyucularıyız.

– Onlar kendi yaşam bölgelerini koruyamıyorlar mı ki size ihtiyaç hissediyorlar?

– Her şey enerjinin birleşmesi. Yaşam bir enerjidir. Yaratılmışların içindeki iyilerin enerjisinin kutsanması ve birleşmesi gerekir. Hz İsa efendimiz ölmüş olan Lazar'ı Allah'ın izniyle diriltirken bu enerjiyi kullandı ve bedenini bir anten gibi kullanmak için bir kolunu göğe doğru kaldırırken diğer kolunu da Lazar'a uzattı. Peygamberimiz beddua ederken ellerinin avuç içlerini toprağa doğru tuttu. Her olayın bir zâhiri birde bâtıni tarafı vardır. Görünen ve görünmeyen tarafı. Peygamberimizin de bize bıraktığı gizli bir ittifak sözkonusu. Bu ittifakın sözleşmesi ise Kunut dualarının içinde gizlidir. Eskiden Orta Asya, özellikle Tibet, Gobi ve Doğu Türkistan arasında kalan bölgelere kadar uzanan Mısır ve Yucatan diyarına kadar dayanmış iyilik hatları, eski savaşlar neticesinde kaybedilmiştir. Şimdi ise hatları Mekke, Kudüs ve İstanbul üçgeninin içerisinde kalan rahmani cinlerin güvenle yaşayacakları bölgelerdir. Hatlarının sınırlarını belirleyen taşlardan birincisi Mekke'deki "Hacerül Esved" taşı, bizzat Peygamberimiz tarafından Kâbe yapısının içerisine yerleştirilmiştir. Küdüs'te Mescidi Aksa'nın altındaki mağarada bulunan taş ve en son da İstanbul'daki "Çemberlitaş", bizim sınırlarımızı belirleyen üçgen içerisinde rahmani cinlerin yaşadığı bölgelerdir.

– Yani o taşlar tesadüfen oralarda değiller. Sizin bahsettiğiniz cinlerin yaşadığı güvenli bölgelerin sınırlarını belirten taşlar.

O anda Mizgin Hoca elindeki diviti okkaya batırarak önünde duran beyaz sayfaya bir üçgen çizdi.

—Elbette evlat, Hayatta hiçbir şey tesadüf değildir. En kuzeyde İstanbul, Doğuda Mekke, Batıda Kudüs ve ortası Mezopotamya'dır. Eğer Mezopotamya kaybedilirse iyilik ruhunun enerjisi de kaybedilecek ve dünyanın dengesi bozulacak. Ancak Rahmani cinlerin yaşadığı bölgeler de ifritler tarafından istila edilmek üzere. Kafileler halinde uç kuvvetlerini hatlarımızın üzerine gönderiyorlar. Semuyt bu cin padişahlarının kuvvetlerine katılmış öncü birliklerden bir savaşçıydı. Bu gece gördüklerin de öyle. Bizler ise bunları kurduğumuz çeşitli tuzaklarla yakalıyor ve hapsediyoruz. Ama nereye kadar, onu ben de bilemiyorum.

– Peki, neden bu savaş? Herkes yerinde ülkesinde yaşayamıyor mu?

Bu soru Mizgin Hoca'yı gülümsetti.

– Peki, biz insanlar neden savaşıyoruz? Yaşadığımız ülkeler bize yetmediğinden mi? Hayır. Bu iyiliğin ve kötülüğün savaşı... Barış ve özgürlük ile köleliğin savaşı ve kötülük rüzgârı Mezopotamya ovasının bakir topraklarına doğru gün geçtikçe yaklaşıyor. Şimdi Irak yanıyor, Güneydoğu yanıyor, Kudüs yanıyor. Süreç başladı artık. Bizler iyi, latif varlıklara yardım ettiğimiz gibi, bizim haricimizdeki insanlar da diğerlerinin esiri olmuş halde ifritlere yardım ediyorlar. Bak, Küdüs'te Mescid-i Aksa'nın altı oyulmaya çalışılıyor. Çemberlitaş'ta yıllardır bir tamirdir gidiyor. Hatta Hacerül Esved'e bile tarihte dokunmaya kalktılar. Barikatlar ortadan kalkıyor.

Atakan, Mizgin Hoca'nın anlattığı mistik bilgilerle dün akşam okuduğu bilimsel verileri karşılaştırdığında, Hoca'nın dediklerinin hiç de yabana atılır şeyler olmadığını düşündü. Bilimsel verilerle elektromanyetik güç alanları belirlenmişti ve insanlar tarafından yeryüzüne dikilmiş taşlar da Mizgin Hoca'nın bahsettiği güvenli alanların sınırları olabilirdi...

– Bu ruhani varlıklarla ne zamandan bu yana teması var ki insanoğlunun?

– İnsanlık tarihi boyunca birçok kez onlar bize yardım etti biz de onlara. Tarihte zalim Ebrehe'nin ordusu Hz. İbrahim'in evine, Kâbe-yi Muazzama'ya saldırırlarken, Ebabil kuşları ateşten toplar atarak bizlerin yardımına geldiler. Kâbe'yi Ebrehe'nin fillerinden korudular...

– Tarihte bunlar yaşandı yani?

– Tabi ki birçok defalar... Sen askersin bilirsin. Çanakkale savaşında onlar da bizim yardımımıza gelmişlerdi. Koca bir İngiliz taburunu, kıyılarımıza çıkarken beyaz bir duman içerisinde kaybetmemişler miydi? Kurtuluş savaşında da, daha nice savaşlarımızda da rahmani cinler bizlerin yanında yer aldılar. Eğer iblislere geçit verirsek, onların etkilediği insanların kötülüklerine koşulsuz sevgimizi esir etmiş oluruz.

– Mecbur muyuz ki?

– Eğer onlar kaybederse bizler de kaybetmeye mahkûmuz. Kardeşlik ve barışın sınırları ifritlerin eline geçerse, dua enerjimizin içine girip bizi bölerlerse, yutmaları daha kolay olur. Siyaha bürünür bütün dünya ve dualarımız, oluşacak kötülük girdabı içerisinde kaybolup gider. Böyle düşünürsen, evet mecburuz. İyi bir dünya için buna mecburuz.

– Yani Üzeyir'in sizden bırakmanızı istediği Semuyt cidden var ve bahsettiği Haleda adlı ifritin kardeşi.

– Evet. Doğrudur. Yakaladığımızın kötü iblislerin ismini şu gördüğün kitaba yazıyor ve bir daha savaşmamak üzere sonsuza değin zincirliyoruz. Üzeyir dediğin o sersem de bu iblislerin esiri olmuş birisi. Haleda dedikleri kadın cin tarafından ruhu ele geçirilmiş.

Atakan, Mizgin Hoca'yı dinlerken anlattıklarına temkinli yaklaşıyordu ama hikâyesine şimdilik inanmak istiyordu. Sonra Mizgin Hoca'nin evinde şahit olduğu şeyler akıl sır erdirilecek cinsten değildi... Mizgin Hoca'nın Çanakkale savaşı hususunda bahsettiklerini notlarının bir köşesine yazdı. Ancak geçmişten gelen analitik düşünme yapısı hâlâ Mizgin Hoca'nın söylediklerine inanmasını güçleştiriyordu. Yine de yeni bir veri olarak elinde bulunması araştırmalarında sonuca ulaşmasında yardımcı olabilirdi.

Mizgin Hoca ile konuşurken bir anda cep telefonu çaldı. Karşınındaki kişi Mennan'dı. Akşam için çiğköfte yaptıklarını ve onu da beklediklerini, nerede ise onu alabileceğini söylüyordu. Atakan önce Mizgin Hoca'nın yanında olduğunu söylemekten çekindi ama dışarısı ayazdı. Eve kadar yürümek zor olacağından Mennan'a onu eve kadar götürmesi için Mizgin

Hoca'nın evine gelmesini söyledi. Hocadan müsaade isteyerek odadan ayrılacaktı ki, Mizgin;

– Komutan, bak, sen dürüst birisin. Çok dikkatli olmanı istiyorum. Dediklerimi de yabana atma, diyerek Atakan'ı uyarmak istedi. Atakan dışarı çıkıp derin bir nefes alarak sigarasını yaktığında, Mennan'ın arabasının önünde beliriverdiğini gördü. Arabaya bindiğinde Mennan:

– Ya bu ne kokusu azizim? O adamın evine gide gele onun gibi kokmuşsun, dedi.

– Yok be üstat. İçerideki tütsü kokusu üzerime sindi, biraz ağır da...

– Merak etme, Cimşit'in güzelleri senin tarih kokunu silerler şimdi, diyerek gevrek gevrek gülmeye başladı Mennan.

Cimşit'in ovadaki villasına vardıklarında eğlence başlamıştı. Cimşit, kapıdan içeriye girenlerinleri görünce yanlarına koştu:

— Oo, Atakan Beyler de gelmişler. Hoş geldiniz, diyerek Atakan'ı masanın başköşesine oturttturdu. Masada ne var ise güzellere talimat vererek onun önüne serdiriverdi. Atakan'ın aklı ise hâlâ Mizgin Hoca'nın evinde kalmıştı. Bir anda öylesi ağır ruhani bir ortamdan böylesi eğlence dolu bir mekâna dâhil olmayı ruhsal yapısı kaldıramamıştı. Cimşit'in devamlı surette biten rakı bardağını doldurmasıyla ortamın eğlencesine katılıverdi. Yapılan çiğköfteler marullara sarılarak rakının yanında getiriliyor, bir dublede içilen rakılarla ortamda oynayan Rus güzellerinin eşliğindeki melodiler birbirine karışıyordu. Bir ara Cimşit, Atakan'ın kulağına eğilerek yan odaya davet etti. Atakan ilk tanıştığında tavırlarından hoşlanmadığı bu adamın ona aşırı yakınlık göstermesinden hoşlanmasa da ne söyleyeceğinin merakı içerisinde odaya doğru yöneldi.

Cimşit elindeki viski şişesini bardağa doldurarak Atakan'a uzattı. Sonra duvarda asılı haritanın üzerinde parmağını gezdirerek, Mardin ilinin olduğu yere geldiğinde, işaret etti.

– İşte burası. Burası Atakan yüzbaşı... Medeniyetlerin durak noktası... Nemrutların, Calutların, İskender'in ve nice padişahların gelip geçtiği şehir Mardin, diyerek viski bardağından bir duble çekip Atakan'ın karşısındaki koltuğa oturdu.

– Burası zenginlikler ülkesi. Eğer aklını kullanırsan yüzbaşı, burada çok zengin olabilirsin. Seni geçen akşam izledim ve hakkında küçük bir araştırma yaptım. Kumar hususunda buradakiler gibi değilsin. İstanbul'da bir zamanlar pokerde eline su döken yokmuş. Askerlikten ne para kazanacaksın ki? Vazifede kazanacağını ben sana bir gecede kazandırırım. Benim villama yurt içinden, yurt dışından Suriye'den, Irak'tan birçok aşiret reisi gelir. Sadece kumar oynamak ve para kaybetmek, biraz eğlenmek için.

Atakan sözü hâlâ nereye getireceğini beklerken, Cimşit o akıl almaz teklifini söyledi.

– Benimle çalış Atakan, diyerek yerinden kalkıp onun oturduğu koltuğun konsollarından tutarak yüzünü Atakan'a iyice yanaştırdı.

– Seni zengin edebilirim, diyerek iki deste doları çıkardı ve Atakan'ın cebine koyuverdi.

– Burada elli bin dolar var, bu başlangıç! deyip işaret parmağını sallayarak sırıtırken;

– Dediklerimi iyice düşün, diyerek Atakan'a söz hakkı bile vermeden odadan ayrıldı.

Atakan gelen tekliften dolayı şaşkındı. Yüzündeki o tepeden bakan tavırlarından dolayı bir türlü sevemediği bu adamın hayatını tamamını değiştirebilecek bir teklifle karşısına gelmesine çok şaşırmıştı. Kumara olan geçmişteki düşkünlüğünü Cimşit'in nasıl öğrenmiş olduğunu merak ediyordu. Bu illetten zar zor kurtulmuşken aynı hatalara yeninden düşmek ve hayatını karartmak istemiyordu ama teklif edilen para hiç de yabana atılacak cinsten değildi. Bir süre sonra Cimşit odadaki yabancılarla beraber tekrar çıkageldi.

– Evet, parti başlıyor beyler. Atakan Bey, sizi arkadaşlarımla tanıştırayım, diyerek odaya gelen zengin giyimli, bir kısmı Arapça lisan konuşan adamlarla beraber kumar masasına doğru yöneldiler. Atakan bir an olsun böylesi bir ortamda ne aradığını düşündü. Elleriyle başını sıkıyordu. Gözlerini ovuşturduğunda çevresindeki seslerin bir an olsun kaybolduğunu gördü. İçtiği içkiler tesirini ancak göstermeye başlamıştı. Bir an kaybolan odanın içindeki sesler yeniden kulaklarında beliriverdi. Cimşit, eliyle "hadi gel" diyerek işaret etti. Derin bir nefes çekerek oturduğu yerden kalktı ve eline oyun kâğıtlarını aldığında yine o eski kazanma hırsı içini kaplamıştı.

Masadaki binlerce dolar birkaç dakikada el değiştiriyordu. İçilen viskilerin kokusuna ağır puro dumanı eşlik ettiğinden, masanın karşısında duranın yüzünü görmek dahi zorlaşmıştı. Gecenin ilerleyen saatlerinde içki servisi yapan kadınlardan birinin omuzlarına masaj yaptığını hissetti. Kadın bozuk bir lisan ile kulağına eğilerek;

– Hadi çabuk bitir işini. Çok yoruldun... Bu gece seninle ben ilgileneceğim! diye fısıldadı. Atakan saatine baktığında gecenin üç buçuğu olduğunu fark etti.

– Son parti beyler, diyerek masadakileri uyardığında odadakilerin huzursuz olduğunu gördü.

– Son parti ! Yarın herkesin işi var, hafta sonu devam ederiz, dediğinde bu söze en çok Cimşit sevindi. Atakan ile göz göze geldiler. Cimşit altın sarısı dişlerini göstererek son içkisini bir yudumda yuvarladı.

Şehrin uzak mahallerinden ezan sesleri gelirken misafirler villayı terk etmeye başlamışlardı. Atakan alkolü fazla kaçırdığından, eve gidecek hali yoktu. Masada ona servis yapan kadın koluna girerek villanın ikinci katına doğru çıkardı. Bozuk lisanı ile bir şeyler söylerken bir yandan da elbiselerini çıkarmaya çalışıyordu. Aynanın karşısında hareketsiz duran Atakan ise, kadının tokasını komidinin üzerinde gördüğünde alıp kokladı. Aklına Şebnem gelmişti. Onun da buna benzer küçük ve güzel tokaları vardı. Kadın onun ceketini çıkarıp omuzlarına masaj yapmaya başlamıştı bile. Atakan kokladığı tokayı gömleğinin cebine koydu. Başı dönüyor, midesi bulanıyordu. Bütün misafirler gittiğinden villada sessizlik hâkimdi. Rus asıllı güzel, geceliklerini giyinmiş halde Atakan'a masaj yaparken kulağına eğildi:

– Hayatım, sen bir askermişsin, cep telefonunu Cimşit Bey'in arkadaşından aldım. Buralarda insan çok yalnız kalır. Artık beraberiz. Seni yalnız bırakmayacağım, diyerek yanağına bir öpücük kondurdu.

Atakan ise Şebnem'i düşünüyordu. Bir anda midesi bulandı. Kusacak gibi oldu. Odada lavabo aradı ama bulamadı. Hızla alt kattaki tuvalete yöneldi. İçtiği bütün içkiler mezelerle karışınca midesindeki son kalan şeye varıncaya dek hepsi bir anda ağzına geldi. Yüzünü soğuk suyla yıkadı ama başının çatlayacak derecede ağrıdığını hissetti. Odaya dönerken villanın arka kapısına doğru yöneldi ve arka kapının önünde İstanbul'da gördüğü o siyah ciplerden bir tanesinin çalışır vaziyette durduğunu gördü. Ani bir refleksle hemen kendini saklayarak göz ucuyla arka garajda duran arabanın olduğu yeri gözetlemeye başladı. Bir süre sonra orada beliren Cimşit, arabanın içerisindekilere hararetle bir şeyler anlatmaya çabalıyordu.

Bu siyah jipi, Üzeyir ile tanıştığından bu yana Şebnem'le gezerken Bomonti'de, Beyoğlu'nda, sonra hastaneye giderken de birkaç defa görmüştü. Şimdi aynı arabanın Cimşit'in villasının arka bahçesinde ne aradığını düşündü. Arabanın plakasını almak için tekrar baktığında karanlıktan yazıları fark edemedi. Olaylar bir anda gözünün önünden geçti. Cimşit'in arabadakilerle tokalaşıp eve doğru yöneldiğini görünce, onun bu bilinmeyen kişilerle ne işinin olabileceğini düşündü. Daha ilk gördüğünde tipinden hoşlanmadığı Cimşit'in gece teklif ettiği paralar aklına geldi. Garip bir şeyler oluyordu çevresinde ve içgüdüsel olarak bir an önce orayı terk etmesi gerektiğini düşündü.

Arka garajdan ayak sesleri geliyordu. Yukarıda bekleyen kadın ise ismiyle kendisini çağırarak nerede kaldığını soruyordu. Atakan yukarıya çıktı. Ceketini aldı ve kadına "bekle, geleceğim" diyerek hızla mutfak kapısına yöneldi. Cimşit'e görünmemek için, sabahın dondurucu soğuğuna aldırmadan şehre doğru hızlı adımlarla koşmaya başladı.

Evine vardığında kan ter içinde kalmıştı. Sabah olmuştu ve bir an önce resmî kıyafetlerini giyerek garnizona gitmesi gerekiyordu. Son zamanlarda hemen hemen bütün içtimalara geç kalmış, verilen görevleri yerine getirmekte zorlandığı komutanlarının gözünden kaçmamıştı.

Atakan'ın zihni Üzeyir meselesine takılıp kalmıştı. Artık bu şekilde belirsizliğe dayanamazdı. "İstanbul'da bitiremediğim işi mutlaka içime sinecek şekilde sonuçlandırmalıyım" diye düşünerek karargâha vardığında, kendisini Binbaşı Koray'ın odasında buldu. Yeni tayin olduğu birliğe alışamadığını, intibak süresini tamamlamak için bir süre izne çıkmak istediğini söyledi. Binbaşı, Atakan yüzbaşının bitkin halinin farkında olduklarını ve onların da bir müddet izin için kendisine teklif götürmeyi düşündüklerini söyleyerek, istediği izni Atakan'a verdi.

Atakan, sabah dokuzda Ankara karargâhına sevkıyat için gidecek ilk kargo uçağına binerek oradan İstanbul'a geçmek üzere, bölük helikopterine binip en yakın askeri havaalanına doğru yola koyuldu. Helikopterden bakarken, bulunduğu coğrafyanın dağlarının, ormanlarının, ucu bucağı görünmeyen kırmızı toza bulanmış engebeli arazilerinin içlerinde yaşanan hadiselerin, tıpkı beyninin kıvrımlarındaki sancılar ve düşünceler gibi iç içe geçmiş olduğunu farketti. Aklındaki sorulara cevaplar aradıkça, yaşamının içinden çıkılmaz bir girdaba doğru sürüklediğini görüyordu.

Nihayetinde o çok sevdiği İstanbul'a gidiyordu. Uçakta canı sıkılmasın diye, havaalanındaki reyonlarda gördüğü Çanakkale savaşını anlatan bir kitap aldı. Sayfalarını karıştırırken, o zamanki askeri birliklerin sevkıyat durumları, çarpışmaların çetin geçtiği yerlerin haritaları gibi birçok detayın derlendiğini gördü. Kitaptaki bir not çok dikkatini çekti.

Savaş esnasında yapılan alıntıların birinde, Kumandan Hamilton'un, İngiliz Savaş Bakanı Lord Kitchener'e gönderdiği telgraftan bahsediyordu. *"Savaş sırasında, 163. Tümen her bakımdan üstün oldugu bir anda, çok garip bir şey meydana geldi... Türkler'in zayıflamakta olan kuvvetlerine karşı, Albay Sir H. Beauchamp, cesur ve kendinden emin bir subay olarak büyük bir gayretle, hızla ilerledi ve savaşın en güzel kısmı böyle başladı. Bu askerlerin çoğu yaralı ve susuzluktan perişan bir haldeydiler. Bunlar, kampa ancak gece vakti geri dönebildiler. Fakat Albay, 16 subayı ve 250 askeriyle önüne düşmanı katmış, hızla ilerlemesine devam ediyordu... Daha sonra bunlardan hiçbir haber alamadık. Ormanlık bölgeye hücum ettikten sonra gözden kayboldular ve sesleri de duyulmadı. İçlerinden hiçbiri geri dönmedi."*

Bu konu, Mizgin Hoca'nın bahsettiği rahmani cinlerin Çanakkale savaşındaki yardım hadisesi olabilir miydi?

Kitabı karıştırdığında yine aynı olayı anlatan İstihkâm eri 4/165 künyeli F. Reichardt; istihkâm eri 13/416 künyeli R. Nevnes, J. L. Newman, künyeli üç Anzak askerinin, İNGİLİZ KRALLIK NORFOLK ALAYI'ndan bir siyah bulutun içerisinde nasıl kaybolduğunu anlatan ifadelerine yer veriliyordu. Daha sonra savaş esirlerinin mübadelesinde Türk birliklerinde olmadıkları,yaralı ve ölü zayiat listelerine de girmedikleri ve bu askerlerden bir daha haber alınamadığı not olarak düşülmüştü. Kitapta bahsi geçen konular; Mizgin Hoca'nın bahsettiği konunun tıpatıp aynısını tarihi gerçekleriyle ve şahitleriyle ortaya koyuyordu.

Atakan'ın kitabı okumaktan yorgun düşmüş gözleri, hostesin omzunu dürterek "Efendim iniyoruz, kemerlerinizi bağlayın" uyarısıyla açıldı. Ankara'dan aktarmalı bindiği uçak İstanbul'a inerken, annesi ve babasını görmenin ruhunu rahatlatabileceği ümidiyle gönlü bir an huzur doldu.

-4-

Mahya

Uçağı havaalanına indiğinde kararsızdı. Cep telefonunu açtığında Şebnem'in mesajıyla karşılaşınca, anne babasına görünmeden önce onunla görüşmesinin daha iyi olacağını düşündü. Havaalanı çıkışında bir taksiye atlayarak doğruca Şebnem'in görev yaptığı üniversitenin semtine doğru yola koyuldu. Mardin'den apar topar ayrıldığından eve uğrayamamış, üstü başı düzensiz ve kirliydi. Karşısına pejmürde bir halde çıkmak istemese de alışveriş yapmaya fırsatı yoktu. Kampüsün önünde taksiden indiğinde yağmurun hafif çilleştirdiği sokakta bir süre öylece bekledi. Saat epey geç olduğundan, bu saatten sonra Şebnem'in eve gideceğini düşünerek evine gitmeye karar verdi.

İstanbul gri günlerinden birini yaşıyordu. Bulutlar havada öbek öbek olmuş, akşamın siyahlığı gökyüzüne çökmeye başlamıştı. Evinin önüne geldiğinde, yukarı çıkmadan önce pencerelere baktı. Ona neden burada olduğunu anlatacak olsa, başından geçenleri garip karşılamasından korkuyordu. Ama içinde volkan gibi patlamaya hazır huzursuzluğu onunla paylaşmalıydı. Şebnem derdini paylaşabileceği, onu anlayabilecek tek insandı.

Kapının zili çaldığında karşısında şaşkın gözlerle Şebnem'i buldu. Hâlâ o eski güzelliğinde, kızıl saçları beyaz boğazlı kazağının yanından süzülürken bir melek gibi karşısına çıkıverdi.

– Hoş geldin Atakan. Hayırdır, neden böyle vakitsiz geliş? Hem.. şu üstünün başının hali nedir?

– İçeri girebilir miyim? diye sordu Atakan. İçeri girince odanın ortasındaki kanepeye oturdu.

Atakan'ın ani gelişi bir sürpriz olmuştu. Ancak Şebnem, Atakan'ın konuşmalarındaki durağanlıktan ve sessizlikten şüphelenmişti. Durgun ve kesik kesik konuşmalar, donuk bakışlar ve sözleri geç algılamalar... Bir yıldır tanıdığı Atakan'ın sakladığı bir sır olduğunun açıkça göstergesiydi.

Atakan kanepede dinlenirken, Şebnem mutfakta hazırladığı kahveleri getirip karşısına geçti.

– Anlatmayacak mısın? dedi.

Atakan söze nereden başlayacağını bilemiyordu. Sessizliği, ağzından mırıltı gibi düşen kelimeler bozdu.

– Garip olaylar oluyor çevremde Şebnem. O son görevimde takılıp kaldım. Ruhum iyi değil. Uyuyamıyorum. Kendimi işime veremiyorum. Garip insanların, garip arabaların çevremde dolandığını düşünüyorum.

– Hangisi? Şu hastane meselesi mi?

– Evet, Üzeyir Kaman dosyası... Sana anlatmadım ama o görevden sonra başıma enteresan olaylar gelmeye başladı. Belki benim kuruntularım. Ama çözemediğim birçok detayı atlayarak araştırmayı tamamlamam, sanırım içimde bir boşluğun ve huzursuzluğun oluşmasına sebebiyet verdi. Araştırdıkça rahatlayacağım yerde daha da olayın içinde kaybolmaya başladım.

– Araştırdın demek ki. Ama bildiğim kadarıyla vazifen tamamlandıktan sonra bunu yapman yasak değil mi?

– Evet, raporu sunduktan sonra yasak ama içim içimi yiyor. Geceleri uyuyamıyorum, hayat düzenim değişti. Sanki o hastanın bütün bulguları üzerime yapıştı kaldı.

Kısa süreli bir sessizlikten sonra;

– İyilik enerji hatları ya da ley hatları üzerine birşey biliyor musun? Diye sordu. Şebnem şaşırmıştı.

– Evet, jeolojik fizik dalında konuyu görmüştük. Sen neden ilgi duydun bu konuya?

– Mardin'de, o hastanın bahsettiği hoca ile görüştüm. Mizgin dedikleri bir tip. Bana tuhaf şeyler anlattı. İyilik enerji hatları, onların koruyucuları...

– İyi ama ley hatları parapsikolojik bir konu değil ki.

Şebnem, bir saniye diyerek yerinden doğrulup çalışma masasının altında bulunan eskiden kalma notlardan birkaçını alıp karıştırdıktan sonra;

– İşte bak burada. Ley hatlarıyla ilgili okuduğum birkaç not. William Bloom'un ve Marko Pogacnik'in yazdığı bir makale.

Atakan heyecanlanmıştı.

– Nelerden bahsediyor o yazıda?

Şebnem Fransızca yazılı metne bir göz attıktan sonra okuduklarını özetledi.

– Ley hatları, yeryüzünün jeolojik yapısının devingen fiziksel ilkesi olan enerji matrisini oluşturur. Ley hatları, yeryüzü ruhunun büyülü bedeninin temel yapısıdır. Daha iyi anlamak için yeryüzünü yoğun bir fiziksel varlıktan çok, iç içe geçmiş elektrik enerjisi hatlarından oluşan, enerji ağlarıyla örülü bir küredir, diyor.

– Yani bu ne demek oluyor?

– Devam edelim dilersen, bak... Ley hatları ağı mineral, bitki, hayvan ve insan gibi oluşumların sahip olduğu güçle ortak çalışır. Her bitkinin ya da her hayvanın sahip olduğu enerji de dolayısıyla hem yeryüzündeki bitkiler âleminin ya da insanlar âleminin tümünün, hem de bir bütün olarak yeryüzünün genel enerji sisteminde yer alır. Dolayısıyla parçalar ve bütün arasında hayati ve devingen bir bağımlılık vardır; bu bağımlılık koşulsuz sevgi adını verdiğimiz bu yeni enerji niteliğini taşıyan yeryüzü ruhunun, sistemin tümü aracılığıyla insan biçimini almasıyla kendini belli eder. Bu karşılıklı bağımlılık aynı zamanda galaksiyi ve evreni de birleştirir.

Atakan şaşkın gözlerle "Yani?" dercesine Şebnem'den anlattıkları üzerine bir açıklama bekliyordu. Bu halini gören Şebnem gülümseyerek;

– Bak ben fizikçiyim ama alanım manyetik fizik değil. Makaleden anladığım kadarıyla, yeryüzünde insan yaşamının gereği olan enerjiyi içinde barındıran özel mekânların olduğu ve bu alanların arasında bir enerji akışı olduğunu ve enerjinin sadece canlıların değil evrenin de varlığı için gerekliliğini savunan bir tez. Nasıl çiçekler enerjisini güneşten alıyorsa, insanlar da yaşam enerjilerini dünyanın dönüşü esnasında meydana gelen enerjinin açığa çıktığı noktalardan alıyor mantığına dayalı bir tez sadece.

Atakan not defterini çıkararak karıştırmaya başladı.

– Yani Mizgin Hoca'nın bahsettiği iyi cinlerin yaşadığı bölgeleri belirlemek için konuşlandırılmış sınır taşı gibi bir şey mi? Koşulsuz sevginin sınırları korunmaz ise iblislerin yeryüzüne hâkim olabileceğinden bahsetmişti bana ihtiyar.

– Ne hocası Atakan? Yoksa bu konularla ilgili hocalarla da mı görüşmeye başladın? diyerek Atakan'ı şaşkın bir şekilde alaya aldı. Atakan susukundu. Şebnem yineledi.

– Bak tatlım, bu konuların senin hastan ile ne alakası var ki?

Şebnem'in sorusuna Atakan cevap vermemiş, yeni duyduğu bilgilerle daha öncekilerini aklında toparlayıp derlemeye çabalıyordu. Sonra yorgunluğunu bahane ederek "biraz dinlensem iyi olacak" dedi ve izin istedi. Şebnem ise uzak yoldan geldiğini sıcak bir duşun onu kendine getireceğini söyleyerek temiz havlularından çıkardı.

Atakan duşta iken kuru temizlemeye vermek için kirlenmiş gömleklerini katlamaya çalışan Şebnem, gömleğin cebinden çıkan bayan tokasını görünce şaşırdı. Aklından Atakan'ın Mardin'de boş durmadığı düşünceleri geçiyordu. Ama tanıdığı kadarıyla onun bu tür günübirlik ilişkiler yaşayacağı bir tip olmadığını biliyordu. Bir süre sonra ise Atakan'ın televizyonun üzerine bıraktığı cep telefonunda gizli bir arama göründü. Şebnem önce açıp açmamakta karar veremedi. Ancak Atakan duşa daha yeni girmişti. En azından arayana biraz sonra araması gerektiğini bildirmek için telefonu açtığında ince bir bayan sesi vardı telefonun ucunda. Garip bir aksanla;

– Sevgilim, bu gece villada seni bekliyorum. Geçen gece beni çok beklettin, bu sefer mutlaka gel! diyordu.

Şebnem sinirlenmiş, şaşkına dönmüştü. Ne yapacağını bilemiyordu. Her şeyden habersiz Atakan bornoza sarılmış bir halde salona girdiğinde Şebnem'i elinde çantası ve elbiseleriyle buldu. Şebnem bir yandan ağlıyor, bir yandan da bağırıyordu.

– Utanmaz, ahlaksız herif! Mardin'de bulduğun şıllıklarla beni aynı anda mı idare edecektin? Saç tokaları da ceplerinden çıkıyor. Defol git evimden!..

Atakan ne olduğunu anlamamış, apar topar elbiselerini giymeye çalışıyordu. Bir yanlış anlaşılmanın olduğunu anlatmaya çabalasa da Şebnem onun mazeretlerini dinleyecek halde değildi.

Gece vakti kendini İstanbul'un sokaklarında buluverdi. Yolda yürürken telefonu yeniden çaldı. Arayan gizli numaraydı. Telefonun ucundaki ses Cimşit'in villasında tanıştığı kadınlardan birinindi.

– Canım az önce aradım ama ses etmedin. Orada mısın? Seni bekliyorum!..

Atakan şimdi neden Şebnem'in bir anda sinirlenerek kendisini kapı dışarı ettiğini anlamıştı.

Gece vakti annesine gidemezdi. Taksim'e kadar yürüdü. Meydandaki heykelin karşısındaki banklara oturarak büfeden aldığı sigarasından bir tane yaktı. Dumanlar gecenin karanlığında tepesinden süzülüyordu. Elleri titriyordu. Bir anda aklına Mizgin Hoca'nın evinde gördüğü tütsü dumanları geldi. Çantasından notlarını çıkararak bir bir incelemeye başladı. Bir ara Üzeyir'i tekrar bularak yarım kalmış hikâyeyi tamamlamak gelmişti aklına. Ama olayın üzerinden aylar geçmişti. "Üzeyir bu zamana değin hastaneden çıkmış, kimbilir nerelere kaybolmuştur." Notlarını karıştırırken, bu olayların başlangıç yeri olan çeşmeye ve şantiyeye gitmek, oraları görüp incelemek geçti zihninden. Buraları kolaçan etmek, belki aklındaki bazı sorulara yanıtlar bulmasını sağlayabilirdi.

Yoldan geçen bir taksiyi durdurarak otobüs terminaline doğru yola koyuldu. Sabaha doğru, olayın geçtiği küçük ve sakin tatil kasabası İğneada istikametine giden ilk otobüsle hareket etti. Yolculuk esnasında terlemiş ve uyku sersemi olduğu halde otobüsten indiğinde üşüyordu. Genişçe bir meydan etrafında toplanmış küçük binalardan oluşan şirin bir beldeydi. Çevreye göz attığında, meydandaki otelin alt katında birkaç ihtiyarın sobanın başında çay içtiklerini görüp kahveden içeri daldı.

Kış mevsimi olduğundan pek fazla gelen gideni olmayan kasabada yaşlılardan ve metruk yazlık villalardan başka bir şey yoktu. İçeriye girdiğinde yaşlılar bu mevsimde burada turist görmeye alışmadıklarından varlığını şüpheyle karşıladılar. Yan masada oturanlardan birisi:

– Hayrola beyim? Bu vakitte burada ne ararsın?

– Şey, bir şantiye varmış Maden Tetkik Arama'nın çalıştığı? Orada bir arkadaşım var da onu görmek için gelmiştim.

– İyi de bu mevsimde yolu kardır oranın. Hem belki şantiye kapalıdır. Uzun zamandır onlardan kimseyi görmeyiz buralarda.

– Peki, oraya nasıl gidebilirim?

– Bir dağ yolu var. Mahya dağının eteklerinden dolanarak gidebilirsin.

Atakan'ın aklına hemen Üzeyir'in konuşmalarında bahsettiği dağ geldi.

– Evet, evet Mahya dağı dedikleri bölgede imiş... Oraya gidebilmek için bir araç bulabilir miyim?

İhtiyarlardan biri eski model beyaz Renault marka arabasını ona kiralayabileceğini, ancak akşama kadar getirmesi gerektiğini söyledi. Atakan'a şantiyenin yolunu tarif ettiler.

– Bak usta, şu yolu yirmi kilometre takip ettikten sonra dağ yoluna sapacaksın. Zaten orada tabelasını görürsün ve devamında da şantiyeyi bulursun.

Araba neredeyse hurdaya çıkacak kadar eskiydi. Marşı basmayan arabanın kaloriferleri de yanmıyordu. Zar zor uğraşarak arabayı çalıştırabildi. Dar ve kavisli olan orman yolunda kimsecikler yoktu. Asfaltta yer yer silinmiş şeritleri takip ederek yol alırken, göz ucuyla da yol kenarındaki tabelalara bakarak şantiye sapağını bulmaya çalışıyordu. Dağ yoluna arabayı vurduğunda, sis yolu iyice kaplamış olduğundan, bir müddet yol aldıktan sonra gözlerinin yorulduğunu fark ederek arabayı sağa çekip dinlenmeye karar verdi.

Hava dağın tepesinde soğuk olsa da, çam ağaçlarının mis gibi kokusu her tarafa yayılıyordu. Derin bir nefes çekerek tertemiz havayı içinde hissetti. O an ormanın içerisinden geniş kavisler çizerek geçirilmiş yolun ucunda bir çeşme gördü. Koşarak yanına gittiğinde, mermer başlığında "Güzellik Çeşmesi" yazdığını gördü. “Demek Üzeyir'in bahsettiği çeşme bu!” diye düşündü. Bir süre sessizce çeşmenin olduğu yerden ormanın derinliklerine doğru göz gezdirdi.

Görünürde olağan dışı hiçbir şey yoktu. Hava iyice soğuduğundan, bir sigara yakarak ısınmaya çalıştı. Bulutlar yavaş yavaş dağın tepesine doğru gelmiş, öğle vakti olmasına rağmen hava akşamüzeri gibi kararmaya başlamıştı. "Bir an önce şantiyeyi bulmalıyım" diyerek sigarasını yarım bırakıp söndürdü, arabaya binip yola devam etti. Şantiye binasını tarif eden adam "yirmi kilometre" demişti ama o yaptığı hesaba göre bu yolu çoktan aşmış olmalıydı. Arabayı iyice yavaşlattığında sağa doğru giden toprak yolun başında askerî üsse ait flamanın bulunduğu ve "Giriş Yasak" yazılı tabelayla karşılaştı. Biraz aşağısında ise maden şirketinin tabelasını gördü ve oraya doğru arabayı sürdüğünde şantiyenin giriş kapısına geldiğini farketti.

Arabadan indiğinde ortamdaki sessizlik dikkatini çekti. Sanki terkedilmiş bir ardiye görünümünde olan metruk binadan yaşlıca bir adamın yanına doğru geldiğini gördü. Şantiyenin bekçisini olduğunu düşündüğü saçı sakalına karışmış ihtiyar gür bir sesle bağırdı:

– Merhaba, yolunuzu mu kaybettiniz beyim?

– Hayır, ben şantiye sorumlusu ile görüşecektim.

Bekçi biraz daha yanaştıktan sonra seçebilmişti Atakan'ı. Yeni uykudan uyanmış olduğu yüzünden belli olan bekçi:

– Nusret Bey'i söylüyorsunuz siz ama bu mevsimde burada kimse olmaz. Bir ay sonra şantiyemiz açılır. Hangi konu hakkında görüşecektiniz?

Atakan saçı başı dağılmış adamın haline bakıp buraya geliş amacını söyleyip söylememekte kararsızdı. Ama belki bir şeyler çıkar diyerek yarım ağızla;

– Sizin eski bir çalışanınız hakkında görüşmek için gelmiştim... Üzeyir Kaman, dedi.

Yaşlı adam, ismi duyunca, yüzünde tel tel kalmış kır sakallarının arasından gülümseyiverdi.

– Deli Üzeyir'den bahsediyorsunuz siz. Biliyor musun yabancı, o çok beyefendi birisiydi ama buradan gitmeden bir sene öncesi garip hareketler yapmaya başladı, diyerek Atakan'ın kulağına eğilir gibi yaparak sessizce;

– Onun için cinlenmiş dediler. Zaten pek tekin adam da değildi. Dağlarda gezip dururdu zavallı. Ama şimdi nerededir bilemiyorum.

– Peki, başka bilgi alabileceğim kimse yok mu burada?

– Beyim yılın bu mevsimi buralarda benden başka kimseyi bulamazsın. Kış mevsimi şantiye kapanır. Bir avcılar bir de senin gibi yolunu kaybetmişler uğrar buralara.

Atakan, bekçinin "Üşümüşsün, gel bir şeyler içelim" ısrarını geri çevirerek, bunca yolu boşuna tepmiş olmanın üzüntüsü içinde İğneada'ya gece olmadan dönmeye karar verdi. Yolda, olayın geçtiği bütün mekânları pür dikkat incelemeyi sürdürüyordu. Üzeyir'in bahsettiği şeylere dair mutlaka bir iz bulabileceğini düşünüyordu. Askerî üssün tabelasının olduğu yerde arabasını durdurdu. Geçtiği her yeri defterine bir bir not ediyordu. Üssün bulunduğu yer, dağın tepesine doğru ince bir yol takip ederek zirveye çıkıyordu. Atakan, tepeye çıkarak çevreye hâkim olan en yüksek zirveden geldiği yeri kuşbakışı seyretmek için arabanın direksiyonunu askerî üsse doğru kırdı. Bir süre sonra, mavi giyimlerinden hava kuvvetlerine ait bir geçici birlik olduğunu düşündüğü askeri nizamiyenin kapısında buldu kendisini.

"Burada kendi devremde öğrencilik yapmış subaylardan bulabilirim" düşüncesiyle görev kimliğini kapıda duran askere göstererek kendisini komutana götürmesini istedi.. Nizamiyeden içeriye girdiğinde, küçük bir binanın çevresinde kurulu görev birliğinin yanında, yuvarlak bir topu andıran devasa bir cismin tepenin arka tarafındaki çam ağaçlarının arasında inşa edilmiş olduğunu görünce ilgisini çekti.

Bölük komuta merkezine girdiğinde, onu güleryüzlü Havacı bir üsteğmen karşıladı. Atakan kendini tanıttı.

Bölükte görev yapan üsteğmen nazik bir şekilde çay ikramında bulunduktan sonra:

– Hayrola yüzbaşım, buralarda ne işiniz var? diye sordu.

Atakan asıl amacını söylemesinin doğru olmayacağını düşündüğünden, buraların çok methini duyduğunu, İstanbul'a hava değişimi için gelmişken fırsattan istifade görmeye geldiğini söyledi. Laf arasında konuyu, binaya girerken gördüğü devasa top şeklindeki küreye getirdi.

– O yapıdan mı bahsediyorsunuz. Bizim radar sistemimiz. Dilerseniz içindeki süper teknolojiyi size gösterebilirim.

Çaylar içildikten sonra Atakan'la beraber top şeklindeki kürenin içine doğru yöneldiler. Genç üsteğmen bir yandan da burada yaptıkları vazifeyi anlatıyordu:

– Burası iki sene önce kuruldu yüzbaşım. Gördüğünüz zirveden, Balkanlar'dan Ortadoğu'ya kadar her alandaki uçuş ve keşif hareketlerini kontrol edebiliyoruz.

– Yeni bir teknoloji sanırım?

– Evet, dünyada şu anda geçerli bütün uçuş simülasyonlarına göre ve askeri hareketliliği takip edebilecek tarzda dizayn edilmiş, ülkemizin en batısında yer alan ve radar konnekte sisteme bağlı en önemli radar algılama cihazımız işte karşınızda, diyerek top gibi devasa kürenin içinde yarım ay biçiminde dönen radar sistemlerini ve onların bağlı olduğu bilgisayar döküm şemalarını Atakan yüzbaşıya anlatmaya başladı. Atakan mesleki bakımdan az çok haberleşme tekniklerini biliyordu. Ancak ilk kez bu kadar gelişmiş ve büyük bir radar sistemiyle karşı karşıyaydı. Üsteğmen anlatmaya devam ediyordu.

– Bulunduğumuz mevki Mahya dağı dedikleri Trakya'nın en yüksek tepesidir. Bakın, bilgisayar ekranında da göreceğiniz gibi, Balkanlardan gelen bütün uçakları ve sınırlarımıza müdahil olabilecek bütün hava trafiğini buradan takip edebiliyoruz. Geçen sene yapılan NATO tatbikatında da yeni teknoloji erken uyarı sistemlerimizi deneme fırsatı bulduk ve çok olumlu neticeler elde ettik yüzbaşım.

Son cümle Atakan'ın dikkatini çektiğinden, "Ne tür bir tatbikat?" diye sordu.

– NATO bünyesinde yapılan 238 kod numaralı düzenli hava kontrol tatbikatımızdı yüzbaşım. Bu mekanizmayı satın aldığımız Amerika, İsrail ve Avrupa'nın çeşitli ülkelerinden askerî birimlerin katıldığı bir tatbikattı. Ani bir saldırı senaryosu altında ilk kez radar sistemlerimiz denendi ve yüzde yüz başarı ile çalışma neticelendi.

Üsteğmenin verdiği 238 sayısı Atakan'ın dikkatini çekince birkaç soru daha sormaya niyetlendi. Ama o da biliyordu ki soruları çok dikkatli sormalı ve karşısındaki meslektaşını zor durumda bırakmadan istediği bilgileri alabilmeliydi.

– Hangi tarihler arasında oldu ki bu tatbikat?

– Sanırım geçen senenin Mart aylarında idi.

Bu yanıt karşısında Atakan şüpheleri iyiden iyiye artmıştı. Aslında daha fazla soru sormak istiyordu ama bundan fazla bilginin askerî sır olduğunu ve dikkat çekeceğini bildiğinden sorularını kendine sakladı.

Meslektaşı, birlikteki akşam yemeğine kalması için ısrar etse de havanın kararmasını ve yolun ıssız olmasını bahane ederek müsaade istedi.

İğneada'ya dönüş yolunda, Üzeyir'in Haleda'yı ilk kez gördüğü güzellik çeşmesinde fotoğraf çekmek için durdu. Yolun hemen kenarında yer alan çeşmenin başına geldiğinde, çeşmenin önünden ormana doğru uzayan doğanın eşsiz güzelliğini kameranın kadrajına sığdırmak için uğraştı. İstediği açıyı bulduğunda onlarca kere fotoğraf makinesinin deklanşörüne bastı. İşi bütünce, notlarını yazdığı defteri çıkararak askeri tecrübelerinden kalan bir alışkanlıkla, olayın geçtiği yerin basit krokisini deftere işlemeye başladı. Mahya dağı ve askeri birlik, çeşmenin hemen kuzeyinde yer alıyordu. Manzara Mahya dağının eteklerinden ormana, oradan da Karadeniz'e açılan geniş bir sahil kesimini takip ederek ufukta neticeleniyordu. Bilgilerin hepsini defterine özenle not düştü.

Doğa öylesine güzeldi ki, ağaç dallarının ucundan ince buzlar sarkmış, her yer şeffaf bir beyazlığa bürünmüştü. Atakan bir an çeşmenin başında gözlerini kapatarak, bir türlü zihninden atamadığı o varlığın kendisine de gözükmesi için beklemeye koyuldu. Ama sadece sessizlik içinde derinliklerdeki kuşların ötüşmeleri yankılanıyordu. Ormanın içerisinde bir an olsun gönlü huzur buldu. Doğanın tertemiz oksijenini içine tekrar çekip, dağın havasını solurken gözleri kapalı halde Haleda'nın onu da bulması için Tanrıya ilk kez dua etti. Ama ortada ne gelen vardı ne de giden. Üşüdüğünü farketti. Parmaklarının aralarına giren soğuğu ellerini avuçlarına götürerek ısıtmaya çabalarken bir anda solundan bir sesin geldiğini duydu. Gözlerini irkilerek açtı ve sesin geldiği yöne baktığında, bir şahinin, yavrusunu kayın ağaçlarının dallarından aşağı düşerken pençesiyle yakalayıp çığlık attığını gördü.

Görüntü adeta doğa dergilerindeki sahneleri andırıyordu. Bir anlık korkusunu atlattıktan sonra fotoğraf makinesinin zumunu büyüterek şahin ailesinin fotoğraflarını çekmeye çalıştı.. Rüzgâr çıktığından, dalların üzerindeki buz sarkıtları yavaş yavaş yola doğru düşmeye başlamıştı. Saatine baktı, neredeyse akşam olmak üzereydi. Epey yorgun düşmüştü. Gece İstanbul'a dönmek çok zor olacağından İğneada'da gördüğü otelde kalmaya karar verdi.

Mevsim kış olduğundan, İğneada'nın adeta terk edilmiş sokaklarında yapayalnızdı Arabayı kiraladığı adama teslim edip ücretini ödedikten sonra bulduğu otele daldı. Alnında saçları tek tük kalmış yaşlı otel sahibi, sanki işini zorla yapıyormuş gibi yeni gelen misafire odanın anahtarını vererek ortalıktan kayboldu. Mevsimden dolayı otel de bomboştu. İki katlı, evden bozma otelin ikinci katına çıkan Atakan, sıcak bir duş alıp kendine gelme hayali içinde odaya girdiğinde yorgunluktan yatağın üzerine elbiseleriyle yığılıp kaldı.

Son zamanlarda yaşadığı herşey bir film şeridi gibi aklından gelip geçiyordu. Bir yanda Mennan'ın suratı, diğer yanda Cimşit'in pişkin gülüşleri arasında siluetler, sesler birbirine karışıyordu. Karanlığın içerisinden bir anda sarı saçları beline kadar uzanan o güzel kadın görünüverdi. Gözlerinin içindeki mavilik okyanuslar gibi dalga dalga üzerine geliyordu. Dudaklarındaki kırmızılık gördüğü en güzel kirazlardan daha parlaktı: "Beni arıyorsun demek, ben Haleda'yım. İşte şimdi sana geldim." diyerek dudaklarındaki şehveti Atakan'ın boynuna aktarıyordu. Sarı saçları vücudunda dolanıyor, harika kokusu ruhunun iliklerine işliyordu. Atakan kundaktaki bir bebek gibi hareketsiz, karşısındakine teslim olmuş bir haldeydi.

"Ben Haleda'yım, artık senin oluyorum, sen de benim ol" diyen Haleda'nın elleri omuzlarına, oradan bütün vücuduna bir sıcaklık şeklinde yayıldığında, bedeninden bütün yorgunluğunun ayak uçlarından çıktığını hissediyordu. Bir an sarı saçlarının kıvrım kıvrım vücudunda hareket ettiğini gördü. Sonra biraz daha dikkatlice baktığında saçlarının küçük binlerce yılanbaşına dönüştüğünü ve yılanların vücudunu sardığını, kulaklarından burnundan içeriye girmeye çalıştıklarını gördü. Donmuştu. Silkinip avazı çıktığı kadar bağırmak istiyordu ama sanki bir şey boğazına düğümlenmiş gibi sesi kesiliyordu. Son bir gayretle gözlerini çevirdiğinde kendine Haleda diyen yaratığın iğrenç suratından öbek öbek irinlerin yüzüne damladığını hissetti. Çok korkmuştu. Çocukluğunda öğrendiği bütün duaları okumaya çalışsa da dili ağzında dolanmış, sesi bir dilsizin anlamsız çığlıklarına dönmüştü. Ne yapacağını bilemez halde son kez yataktan silkinip doğrulmaya çalıştığında gözlerini açıverdi. Yatağın ucundaki aynada korkudan faltaşı gibi açılmış gözlerini gördü. Nefes nefese kalmıştı. Odanın sağına soluna baktığında, çantaların koyduğu yerde olduğunu ve yatakta yorgunluktan uyuyakaldığını farketti.

Bir kâbus görmüştü. Kalkıp yüzünü yıkadı. Aynada yüzüne tekrar baktığında sakallarının uzamış olduğunu gördü. Duş alacaktı ama gördüğü kâbusun etkisiyle korkudan buna cesaret edemedi. Üzerini değiştirerek yanına aldığı ekmek arası yemeğini atıştırırken şimdiye kadar elde ettiği bütün bilgileri yatağın üzerine serdi. Sonra gün içerisinde çektiği fotoğrafları görüntülemek için fotoğraf makinesiyle dizüstü bilgisayarı arasındaki bağlantı kablosunu yerleştirdi.

Üzeyir Kaman dosyasına başladığından bu yana yazdığı rapor dahil bütün olasılıkları tek tek gözden geçiriyor, elde ettiği bulguları karşılaştırıyordu. Notlarını incelerken bir benzerlik dikkatini çekti. İlk notlarında Üzeyir, Haleda'nın 238 yaşında olduğunu söylemişti. Mahya dağında konuştuğu üsteğmen de Üzeyir'in Haleda'yı gördüğü zaman yapılan NATO tatbikatından bahsetmişti. Bu tatbikatın numarası da 238'di.

Uzun bir süre daha notlarını inceledi. Ancak elinde pek iç açıcı bir bilgi ya da onu rahatlatacak bir bulgu yoktu. Dizüstü bilgisayarını açıp, yörede çektiği fotoğrafları ekranda görmek istedi. Bilgisayar ekranında fotoğraflara tek tek göz atarken, en son zum yaparak çektiği şahin ve yavrusunun fotoğrafındaki bir detay dikkatini çekti. Fotoğraf karesini biraz daha yakınlaştırdığında, kuşların konduğu ağacın gövdesinde koparılmış bir dalın olduğunu gördü. Bunun, Üzeyir'den aldığı dal parçasına benzediğini fark etti.

Hızla çantası içerisindeki o tahta parçasını aramaya koyuldu. Şimdiye kadar bir anlam veremediği dal parçasının, ağaçtan koparılmış parçanın şekil olarak aynısı olduğunu ve birbirlerini tamamladıklarını keşfetti. "Üzeyir'in ormanda bulduğu dal parçası bu ağaçtan koparılmış olabilir." Ama bu benzerliğin ne anlam ifade ettiğini çözemiyordu. Yarın tekrar aynı yere gitmek üzere düşünürken, vücuduna çöken ağırlığa teslim olarak uykuya daldı.

Sabah uyandığında kahvaltı bile yapmadan, fotoğrafı çektiği yere doğru yeni bir delil bulabilmek amacıyla erkenden gitmeyi düşündü ve dün kiraladığı arabanın sahibini bulup bir günlüğüne daha istedi . Yeni bir bilgiye ulaşmanın sevinciyle arabayı hızla sürdü Güzellik Çeşmesi'ne. Çeşmenin başına geldiğinde arabasını sağa çekerek şahin yavrusunun fotoğrafını çektiği ağacı bulmaya çalıştı. Hava açık, güneş bulutların arasından yüzünü göstermişti. Makinesindeki fotoğrafı bir süre inceleyerek ağacın yerini bulduğunda, kırık parçanın olduğu yere Üzeyir'den aldığı dal parçasıyla beraber tırmanmaya başladı. Ağacın kışın yorgunluğuna teslim etmiş olduğu gövdesinin bittiği yerde başlayan dalları teker teker incelediğinde, sırtını yasladığı yerin hemen kenarından keskin bir aletle koparılmış bir kertik gördü.

Cebinden çıkardığı tahta parçasını kesik yere tuttuğunda, kesilen parçanın tıpatıp uyduğunu farketti. Belli ki bu parça bu ağaçtan insan marifetiyle kesilerek yere atılmıştı. Bir şeyler arıyormuşçasına sağına soluna bakarak istikamet belirlemeye çalıştı. Askerlikten gelen bilgileri bu tür iz takibinde işini kolaylaştırıyordu. Çeşmeye doğru baktığında, dün ziyaret ettiği Mahya dağındaki radarın sivri çıkıntısının kendi bulunduğu ağacın istikametini gösterdiğini farketti. Hattı daha yakından görmek için fotoğraf makinesinin ekranına gözünü yanaştırdı. Fotoğraf makinesinin zumuyla radarın bulunduğu Mahya dağını yakınlaştırdığında, bir iletişim antenine benzeyen aletin kendi istikameti doğrultusuna yönlendirildiğini gördü. Gördüğü hat, bulunduğu konumdan ileri bir çizgi takip etmeliydi. Arkasını dönerek, antenle neresinin nişanlandığını farketmeye çalıştı. Güneş gökyüzünde ters açıyla yansıdığından görüş mesafesini daraltıyordu. Ufuk çizgisine baktığında denizin parlayan yüzeyi ve sahilinden başka hiçbir şey görünmüyordu. Gözlerini kısarak daha dikkatlice çevresini incelemeye başladı.

Bir ara güneş ışığını yansıtan parlak bir objenin sahilin bulunduğu kesimde ara sıra görünerek kaybolduğunu görünce heyecanlandı. Gördüğü şey her ne ise, radardan gelen sinyaller ormanın içerisinden geçip, Üzeyir'in elinde bulduğu dal parçasının kesildiği ağacın hizasından düz bir hat izleyerek sahildeki cisme yansıyordu. Uzaktan gördüğü bu parlak nesnenin ne olduğunu anlamak için yanına gitmeye karar verdi.

Bunun için dağ yolunu inmesi ve İğneada'nın batı ucunda yer alan geniş sahilden yansıyan ışığın kaynağını bulması gerekiyordu. Ağaçtan indikten sonra, kar üzerinde bırakmış olduğu izleri kopardığı bir dal ile karıştırdı. Arabasını dağdan yokuş aşağı dikkatlice sürerek, deniz sahilindeki yolu aşıp çalılıkların içerisinde yer alan ışığın parladığı kaynağa doğru yöneldi.

Kış olduğundan sahilde her yer bataklık haline dönüşmüştü. Pantolonun paçalarını sıvasa da bir faydası olmayacağını anlayınca, bataklığın ortasına ayağındaki botlarla dalıverdi. Çalıların içerisinde ışığı yansıtabilecek madeni cismi aramaya koyuldu. İstikamet belirleme yeteneği güçlüydü ki, çok sürmedi, kayalıkların içerisine gizlenmiş metal bir kutuyla karşılaştı.

Yanına usulca yanaşarak, önce herhangi bir temasta bulunmadan cismi incelemeye başladı. Gri renkli kutuyu ellemeye çekinse de, içerisinde ne olduğunu merak ettiği kapalı kutuyu demirden yapılmış kafesle örten parmaklığın açıldığı noktayı bularak elini içeri soktu. Parmaklarının ucuna bir şeyler geliyordu ama o ne olduğunu göremeden kayalıkların arasına gizlenmiş kutunun içini karıştırmaya başladı. Bir anda bir uyarı sesiyle kutunun üst kapağının yavaşça kendiliğinden açıldığını gördü. Kutunun içinde yanlışlıkla bastığı yer mekanizmanın açılmasına sebebiyet vermişti. Kutu açıldığında, kırmızı ışıklar içerisinde çeşitli kodların yanıp söndüğü bir nevi araç telefonunu andıran düzeneğin olduğunu gördü. Bulduğu şeyin askerî amaçlı bir düzenek olduğundan hiç şüphesi yoktu. Cihazların üzerindeki yazılara göz attığında, İbranice yazılmış kelimeler ve "New contact" ifadesini gördü.

Burada uzun süreli bulunmanın güvenliği açısından sakıncalı olabileceği düşüncesi belirdi bir anda, heyecanlandı. Elindeki fotoğraf makinesiyle düzeneğin detaylı fotoğraflarını çekip, kutuyu açtığı yerden yeniden kapatarak oradan hızla uzaklaşması gerekiyordu. Çamur deryası içinde kalmış pantolonuyla arabasına giderken yeni bir şey keşfetmiş olmanın heyecanını yaşadı. "İşte bu!" diye kendi kendine söylenirken, eski hareketli ve iş bitirici ruh haline yeninden kavuşmanın sevinci dolmuştu yüzüne.

Yola koyulduğunda, elde ettiği bulguları yeniden değerlendirmek için bilgi alması gereken kaynaklara nasıl ulaşacağını düşünüyordu. "Başhekime gidebilir miyim ya da İstanbul'daki karargâhtan bu konuda yardım alabilir miyim?" diye geçirdi içinden. Ama her iki fikir de soruşturmanın bitmiş olmasından dolayı mantıksız geldi. "Bana bu konuda ancak Şebnem yardım edebilir" dedi. Şebnem'in önceleri fizik ve nano haberleşme sistemleri hakkında bir yüksek lisan tezi hazırladığını biliyordu. Ama İstanbul'da yaşadıkları son günden sonra onu tekrar nasıl ikna edebileceğini düşünmeye başladı.

Şebnem, Atakan'ın, Mardin'de onu başka kadınlarla aldattığını düşünüyordu. "Ah benim akılsız kafam, komutanların sözünü dinleyip o Mennan'a hiç takılmamalı ve Cimşit'in kumar âlemlerine hiç gitmemeliydim" diye geçirdi içinden. Ama çevresindeki olaylar bir anda gelişivermiş, kendisi de buna dur diyememişti.

-5-

Nephele

İğneada'nın dar ve ormanlık yollarını geride bırakarak İstanbul'un yoğun trafiğine saplanmıştı bile. İlk olarak Üzeyir'in kaldığı hastaneye giderek, akıbetinin ne olduğunu araştırmaya karar verdi. Arabasının direksiyonunu Bakırköy'e doğru kırdığında, soğuk beyaz siluetiyle Ruh ve Sinir Hastalıkları Hastanesinin geniş binası yeşil ormanların arasından görünüverdi. Hastane yoluna tam sapacaktı ki, köşedeki büfede başhekimin alışveriş yaptığını görür görmez arabasını durdurdu:

– Başhekim bey, bakar mısınız? diyerek seslendi.

Başhekim önce Atakan'ı sivil kıyafetlerinden dolayı tanıyamamıştı.

– Ben Atakan yüzbaşı, diyerek kendini yeninden tanıtma ihtiyacı hissetti.

Başhekim saçı sakalı birbirine girmiş Atakan'ı, her yeri çamura bulanmış haliyle karşısında görünce bir an duraksadı.

– Hayrola ne oldu size böyle?

Atakan bu soru karşısında ne cevap vereceğini bilemeyip biraz sıkılgan bir eda ile konuştu:

– Beni şimdilik bir yana bırakalım da... Size Üzeyir hakkında birkaç soru sormak için gelmiştim. Fazla vaktim yok. Sizi burada görmem tesadüf oldu. Hastaneye gitmeden şuradaki kafede bir şeyler içsek, hem de konuşurduk.

Başhekim önce biraz düşündü. Atakan'ın bahsettiği hastayı bir anda çıkaramamıştı. Hafızasını yokladığında;

– Evet, evet hatırladım, şu şizrofrenden bahsediyorsunuz siz: Üzeyir Kaman...

– Evet, işte o.

Başhekim saatine baktı.

– Erken geldim bugün, bir sabah kahvesine hayır demem, diyerek Atakan'ın teklifini kabul etti. Kafeye girdiklerinde başhekim devamlı surette Atakan'ın telaşlı hareketlerini izliyordu. Montundan sigarasını alıp titreyen elleriyle çakmağını yakarken gördüğünde;

– Neler oldu kuzum size böyle? Son görüşmemizden gayet sakin ve kendinden emin kişiliğiniz gitmiş, ne yapacağını bilemez halde bir insan ortaya çıkmış.

– Bilmiyorum hocam. Ama o dosya kapanmış olsa dahi ben ruhumda bir türlü soruları yok edemedim. Takılıp kaldım bu konuya.

Başhekim bu cevaba gülümsedi.

– Bu hepimize olur yüzbaşı. Hatırlıyorum da okulu bitirdiğim yıllardı. İlk hastalarımla karşı karşıya geldiğimde sorunlarından etkilenir ve kendimi onları anlamaya verince ruhumun hastanın düşünce yapısına büründüğünü farkederdim. Sizin de ilk kez Üzeyir Kaman dosyasında böylesi bir deneyim yaşamanız, hastalarla iç içe girmeniz psikolojinizi bozmuş sanırım.

– Olabilir hocam. Ancak teşhisinizin adı her ne ise aklımdaki sorulara mantıklı yanıtlar bulmadan bu hastalıktan ruhumu da bedenimi de kurtaramayacağıma eminim. Bunun için de Üzeyir Kaman'ı mutlaka bulmalıyım, bana yardım eder misiniz?

Başhekim masaya gelen neskafeyi höpürdeterek içerken karşısındaki bu adama yardım etmesi gerektiğini düşünüyordu. Bir müddet daha Atakan'ın yüzündeki berbat duruşu seyrederek çökmüş ruh haline tanık olunca;

– Peki tamam, dedi. Her ne kadar hastanın peşinden gitmeni arzu etmesem de... diyerek ceketinin cebinden küçük bir defter çıkardı. Atakan'ın meraklı gözlerle kendisine baktığını görünce not defterini gösterip gülümseyerek;

– Bunu mu merak ettin. Biz eski doktorlar işte. Son altı ay içerisindeki önemli hastaların detaylarını bu deftere kısa kısa not alırım. Yaşlanınca alışkanlıklardan vazgeçilmiyor, dedi.

– İşte burada. Evet, Üzeyir Kaman. Sizin mülakatı bitirmenizden sonra bir hafta daha hastanede kontrolümüz altında kalmış. İlaç ve telkin tedavimize yanıt vermeyince biz de onu alması için, Balat'ta oturan, yaşlı bir akrabasına haber gönderdik.

– Kim o şahıs? Şimdi nerede olduğunu biliyor musunuz?

Başhekim biraz hafızasını yokladığında;

– Tamam hatırladım. Benim devamlı balık aldığım Ali Reis'in dükkânı var Balat'ta. Onun hemen yanında metruk bir bina var, orada oturuyormuş bu ihtiyar. Hatta Üzeyir'i almaya geldiğinde, beni orada daha önce alışveriş yaparken gördüğünden yanında taze uskumru da getirmişti. İstanbul'un en güzel balıkları o sahilin balıkçılarında var evlat, O balıkçıyı bulursan Üzeyir'e de ulaşabilirsin.

Atakan verdiği bilgiden dolayı başhekime teşekkür ederek neskafesini dahi içmeden müsaade istedi. Başhekimin "dikkatli ol" uyarısına dahi aldırmadan arabasını Balat semtine doğru sürdü. Balıkçının olduğu yeri bulduğunda başhekimin tarif ettiği evin hemen yanında olduğunu gördü. Eve giderek Üzeyir'in durumunu öğrenecekti ki, evin önündeki küçük bahçede yaşlı bir adamı yazdan kalma otların çöplerini temizlerken buldu.

– Bakar mısınız? Ben Üzeyir'in akrabasını arıyordum, diye selendi. Yaşlı adam elindeki bağ makasını bırakarak kısılmış sesiyle bahçenin tel çitine yanaştı:

– Üzeyir mi? Neden arıyorsunuz onu?

– Üzeyir'i soracaktım da, nerededir, ne yapar diye.

– Siz arkadaşı mısınız onun?

Atakan bu soruya nasıl yanıt vereceğini bilemedi. Hikâyesini anlatmaya kalksa uzun sürecekti. Aklından bir şeyler uydurması gerekiyordu. Ağzından yalan da olsa "evet" kelimesi çıktı.

İhtiyar, Atakan'ın yanına yanaşarak;

– Bak evlat, o iyi bir çocuktur. Babasından bana yadigâr kaldı, diyerek bağ makasını bir kenara bırakarak çalışmaktan nefes nefese kalmış soluğunu dinlendirirken anlatmaya devam etti.

– Hey gidi koca Hüsrev Ağa, şimdi görseydi oğlunun bu hallere düştüğünü, kederinden bir kere daha ölürdü.

Atakan, ihtiyarın dilinden Üzeyir'in ailesinin anılarını dinlerken ihtiyar bir anda hiddetlenerek ses tonunu arttırdı:

– Delirmiş o Üzeyir dedikleri melun. Sahipsiz, ben de yardım edeyim dedim annesiyle onu yanıma aldım. Ama nerde? İlk geceler bir şeyler sayıklayarak evde dolanıp durdu. Sonra birilerini öldürmekten bahseder oldu. En nihayetinde birikmiş birkaç kuruşum vardı onları da çalıp ortadan kayboldu. Oysa ne akıllı, ne kadar iyi bir gençti. Babası onu üniversitelerde okutmak için varını yoğunu satmıştı. Annesi onu bekler... O daha çalışamaz artık evlat, delirmiş o!

Atakan'ın içinde bir ümitsizlik beliriverdi. Üzeyir demek ortalardan kaybolmuştu. Onu bulabilseydi belki kendine musallat olan o bezginlik ve karamsar ruh halinden kurtulmuş olacaktı.

İhtiyarın anlattıkları, sonuca ulaşması açısından hiç tatmin edici olmayan birçok detaydı. Uzun ve anlamsız sohbetten canı sıkıldığında bir süre sahilde yürümeye karar verdi. "Kafamı bir an önce toparlamam gerek" diye düşünerek iç geçirdi. Bir sigara yakarak dalgaların sahile vurmasını seyretti. Yük gemileri bir bir Boğaz'ın dalgalarını yararak geçiyorlardı. Üzeyir'i bulamamıştı. Sahilde ilk bulduğu banka oturdu. Bir süre martıları, Boğaz'ın çalkantılı sularını seyretmeye devam etti. Boğaz'ın dalgaları, kendi ruhunda hissettiği akıntılı ve önü alınmaz sular gibiydi. Düşünceler, içinden çıkamadığı sorular ruh denizini dalgalandırmıştı. Şebnem düştü aklına. Elde ettiği bilgileri sadece Şebnem'in yardımıyla bir mantık silsilesine oturtabilirdi. Sıkıntıdan cep telefonuyla oynarken, onun numarasına geldiğinde arayıp af dilemeye karar verdi. Telefon bir süre çaldıktan sonra, ahizenin diğer ucundaki kırgın ve kızgın Şebnem, en azından olan biteni merak etmiş olması nedeniyle Atakan'ın buluşma teklifini geri çevirmedi.

Her zamanki gibi, Atakan iş çıkışı beklediği Bomonti'nin köşesinde Şebnem'i gördü. Hızla yanına doğru yürüdü. Göz göze geldiklerinde mahcup bir edayla;

– Başımdan geçenleri anlatabilirim, dedi.

Şebnem eliyle sus işareti yaparak koluna girdi ve Nişantaşı'nın kalabalık sokaklarında yürümeye başladılar. Şebnem'in, Atakan'ın ruh halindeki değişimin farkına varması uzun sürmedi.

Eve vardıklarında, kızgınlık ve kırgınlığından birşey aksettirmeden Atakan'ı sonuna kadar dinlemeye karar verdi. Mutfakta Atakan'ın çok sevdiği sütlü kahveleri hazırlayıp tepsiye koyarak geldi. Üç beş ay öncesine kadar salondaki koltukta kendine güvenir bir eda ile oturup bacak bacak üstüne atarak gülücükler dağıtan kişi gitmiş, omuzları çökmüş, pejmürde ve sünepe bir adam gelmişti. Bu ürkütücü tablo Şebnem'i çok rahatsız etti.

– Neler oluyor sana Atakan? Karşımdaki insan tanıdığım kişi olamaz, demekten kendini alamadı.

Atakan, siluetine yapışmış suskunluğun içerisinden cılız bir ifadeyle;

– Dedim ya, olağanüstü varlıklar, anlamayadığım olaylar, kâbuslar… diye söze başlamıştı ki Şebnem sözünü kesti.

– Cinler, periler… Bırak artık bu düşünceleri. Bak, ailenin yanına gittiğimizde babanın sana hediye ettiği Mesnevi kitabı bende kalmış. Sen yokken epey inceleme fırsatım oldu.

– Ne güzel, faydalı oldu mu bari?

– Bana oldu ama senin okumanı isterdim aslında. Kitap çeşitli hikâyeciklerden oluşuyor. Biliyor musun Atakancığım, Şeytan Allah'ın huzurundan kovulurken, Adem'de birçok boşluklar gördüğünü ve onun soyundan gelecek olanları mahşer gününe kadar kandırabilmesi için bir ona bir sermaye vermesini istemiş.

– İlginç? Biliyor musun şeytan da cinlerden bir varlık.

– İlginç tabiî ki. Yüce Yaratıcı da sermaye olarak çeşitli öneriler sunmuş şeytana. Önce para, mal mülk demiş. Şeytan düşünmüş ve her insanı bununla kandıramayacağından, istememiş. Sonra Yüce yaratıcı makam, mevki, şan, şöhret sıralamış ama hiç birisi şeytanın işine gelmemiş. En sonunda Yüce Yaratıcı; iffet ve kadın dediğinde ise şeytan "Şimdi benim işim oldu. İşte ben bunla bütün insanoğlunu mahşer gününe değin kandırabilir, senin yolundan sapıtabilirim "demiş. Bu kıssa sana bir şeyler ifade ediyor mu?

Atakan'ın boynu bükük halini gördü. Daha fazla üzerine gitmek istemediğinden, onu biraz konuşmaya meylettirmek için;

– Her şey o son görevinden sonra oldu değil mi? diye sordu. Atakan kafasını sallayarak cevap verdi.

– Ama neden aklına bu konuya o kadar çok taktın ki?. Sen

daha önce de birçok zorlu görevler içinde bulunduğundan kıvançla söz eder dururdun.

— Bu seferki farklı ama Şebnem... Her şey, bütün hayatım karıştı... Cinler, şeytanlar, hayaller iç içe geçti. Neredeyim, ne yapmam gerekiyor bilemiyorum. Eğer kafamdaki sorulara mantıklı cevaplar bulamaz isem ruhum bu ızdıraptan kurtulamayacak. Biliyor musun, intihar etmeyi dahi düşündüm...

Son cümlesinde sesi titreyen Atakan ağlamaya başlamıştı. Şebnem yanına gelerek oturdu. Karmakarışık olmuş kirli saçlarını okşadı.

– Bilmiyorum Atakan. Ama olanların mutlaka bilimsel bir izahının da olması gerekmez mi?

– Ama bu seferki farklı... Üzeyir dosyasında hâlâ çözümlenmeyen esrar perdesi var ve ben bu sırrı ortaya çıkaramadan kendime gelemiyorum. Kendime gelemedikçe de hayatımda, işimde saçmalamaya başlıyorum.

Sonra kısık bir sesle;

—Biliyor musun Şebnem, son zamanlarda Üzeyir'deki bulguların hepsi benim de üzerimde gerçekleşmeye başladı. Halüsinasyonlar, kâbuslar, ilgi dağınıklığı, cinler... Başhekim bunun normal olduğunu, doktorun hastasını anlamak için bazen onun psikolojisine bürünebileceğini ve deneyimli değilse hastasının yerine fazla koyma eğiliminden kurtulamayacağını söyledi...

Anlattıkları Şebnem'e mantıksız geliyordu, tebessüm etti.

– Gülme bak, bunlar doğru. Mardin'de Üzeyir'in bahsettiği hocayı buldum. Onun cinlerle görüştüğüne bizzat şahit oldum, deyince Şebnem'in gülümsemesi kahkahaya dönüşmüştü.

Atakan'ın siniri bozulmuştu..

— Biliyorum öyle diyorsun ama, tarihte, Ebrehe'nin ordusunun Kâbe'yi yıkmaya giderken ateşten taşlarla yok edilmesi... derken Şebnem sözünü kesti.

– Tarihi bilgim yok ama okuduğum bir makalede cinler dediğin varlıkların gökyüzündeki sesleri bir şekilde zaman geçse dahi duyabildikleri ve insanlara ulaştırabildikleri yazıyordu.

– Yani?

– Yani si şu; enerji kaybolmaz ama entropi artar. Tüm sorun sesin içerdiği enerjinin zaman geçtikçe mikroskobik hareket biçimlerine aktarılması. Yani, en sonunda tüm etki moleküllerin hızlarının artmasıyla sonuçlanıyor. Bu da, teknik dilde "ses enerjisinin ısıya dönüşmesi" olarak adlandırılıyor.

– Konuştuğumuz hiçbir kelime uzayda kaybolmuyor yani.

– Evet, bir nevi öyle. Isıyla entropi arasında da çok yakın bir ilişki var. Entropi, madde içindeki düzensizliğin bir ölçüsü. Başka bir şekilde söylemek gerekirse, ses dalgalarındaki düzenli hareket biçimi zamanla mikroskobik ölçekte düzensiz harekete dönüşüyor. Termodinamiğin ikinci yasası da bu dönüşümle ilgili: Düzenlilik düzensizliğe dönüşebilir ama hiçbir zaman düzensiz bir durum kendiliğinden daha düzenli olamaz – entropi azalamaz. Gerçi bazı bilim adamları bir yöntemle daha önce oluşmuş bir sesi yeniden oluşturabiliyorlar. Ama bunu yapabilmenin koşulu düzensizliğe geçişin yeterince gerçekleşmemiş olması. Yani, zaman geçtikçe orijinal ses daha az bir belirginlikle elde ediliyor. Eğer aradan çok uzun bir süre geçmişse, hiçbir şey elde etmek mümkün değil.

– Yani Mizgin Hoca'nın dediği gibi cinler, çok çabuk hareket eden varlıklar ve gökyüzüne yükselerek daha önce yaşanmış ve konuşulmuş olaylardan irtibatlı oldukları insanlara bilgi getirebiliyorlar.

– Çeşitli istihbarat birimlerinin yunusları, kuşları, hatta sincapları ve küçük böcekleri dahi askerî alanda bilgi toplamak için kullandıkları biliniyor. Bu konuda Rus, İsrail ve Amerikan istihbarat birimlerinin 2. Dünya Savaşından bu yana birçok olayda hayvanları kullandıkları biliniyor. Ama bunun haricinde doğaüstü varlıklarla da yani senin dediğin cinler vasıtasıyla istihbarat yaptıkları birçok bilimsel makaleye bile konu oldu. Ama senin olayının bunlarla ne alakası var ki tatlım?

Şebnem, Atakan'ın yüzünceki sert ifadeyi görünce gülümsemesini kesti. Atakan'ın bu konuları umduğundan çok daha fazla ciddiye aldığını gördüğünde alaya alarak geçiştiremeyeceğini anladı. İkna etmenin bir yolunu bulmayı düşündü. Kitaplığından bir kitap çekerek biraz inceledikten sonra;

– Bahsettiklerin Yunan mitolojisinin kalıntılarında da var Atakancığım. Bak, geçen gece okuduğum kitaptan bir pasaj: "Grek mitolojisinde geçen Tebei kralı Athamas'ın ilk eşi Nephele'den Phrixus adında bir oğlu oldu ve Helle adında da bir kızı. Bir süre sonra Athamas İna adında ikinci bir kadın aldı. İna ise çocukların kurban edilmesi için Athamas'ı ikna eder ve tam kurban edilirlerken anneleri Nephele ortaya çıkar ve bir bulut gibi çocuklarını sarmalayarak Çanakkale boğazının üstünden geçerlerken bir fırtına kopar ve zavallı Hele denize düşer ve boğulur. Bunun üzerine buraya Helle denizi anlamına gelen Helespnot denilir."

Atakan, Şebnem'in anlattıklarından ikna olmasa da söylenenleri dinlemeye çalışıyordu.

– Peki, iyilik hatları ile ilgili söylediklerin? Mardin'de görüştüğüm hoca bana bunlardan bahsetti.

Şebnem, arkadaşını uçuruma sürükleyen sürece dahil olması gerektiğini ,aksi takdirde arkadaşını kaybedebileceğini anlamıştı. Atakan'a yardım sözü vererek, elindeki bütün bilgileri kendisiyle paylaşması gerektiğine ikna etti. Yemek masasına beraberce geçip Atakan'ın şimdiye değin elde ettiği bütün bilgileri tarih sırasıyla masaya yaydılar. Şebnem bir yandan bilgilerle ilgili sorular soruyor, bir yandan da elde edilen verileri inceliyordu.

– Öncelikle, şimdi doğaüstü varlıkları, eskisi gibi analitik ve bilimsel düşünelim. Bakalım bulduğun bilgilerden bir sonuca ulaşabilecek miyiz?

Birkaç saatlik uğraşın neticesinde sadece 238 numaralı NATO tatbikatı ile Üzeyir'in baş aktörü Haleda'nın yaşı hususunda benzerliğin olduğunu işaretleyerek bir yere yazdılar. Şebnem:

– Şu gittiğin askerî üsten bana biraz söz eder misin? dedi.

– Bir üsten ziyade hava savunma sistemlerini kontrol eden bir sinyalizasyon merkezi. Çok üstün kabiliyette ve algılamada radarlar ile donatılmış Türk Silahlı Kuvvetlerine ait bir hava savunma sistemi.

– O üste garip bir şey gördün mü ya da değişik bir şeyle karşılaştın mı?

Atakan biraz düşündükten sonra;

– Askerî üssü gezdiren subayın anlattıklarında ve çevremde bir anormallik yoktu. Ancak Üzeyir'in gördüğünden bahsettiği o varlığın olduğu yerde, çeşmenin başında durduğumda sahile uzanan noktada kayalıkların arasında uzaktan algılayıcıya benzer bir alet buldum.

– Nasıl bir şey olduğunu tarif edebilir misin?

– Tarifi bırak hatta fotoğraflarını gösterebilirim, diyerek fotoğraf makinesini çıkarıp ekranını açtı.

Resimleri tek tek incelerken, Şebnem'in gülümsediğini gördü.

– Ne oldu, niye gülüyorsun?

– Az çok fotoğraftaki aletlerin ne işe yaradığını biliyorum. Ama bunun gerçekte kullanıldığına hiç şahit olmamıştım.

Atakan'ın birşey anlamadığını görünce;

– Merak etme, bu gece dinlen, yarın üniversiteye gittiğimizde sana çektiğin fotoğraftaki cihazın ne işe yaradığını anlatırım, diyerek onu rahatlattı. Dosyaları masanın üzerinden toplayıp mutfaktan bir şeyler alacaklardı ki, Atakan:

– Biliyor musun o telefondaki kadın ile hiçbir ilişkim olmadı. Eğer biraz daha Mardin'de kalsaydım belki olacaktı, dedi birdenbire. Şebnem'in ona anlamlı bir şekilde baktığını gördü.

– Ne yapabilirdim ki? Bocalama içerisinde kendimi olur olmaz ortamlara soktum. Eski bütün huylarımın bir anda ruhumda depreştiğini gördüm.

– Hımm, o kadından hoşlandın mı peki kart horoz?

– Hayır, ben sadece seni özlemiştim, diyerek Şebnem'in elini tuttu. Ancak Şebnem hâlâ aklıyla hareket edemeyen ve şuuru bulanmış arkadaşının bu haldeyken kendisine yakınlaşmasına müsaade etmedi.

– Battaniye salonda, sen kanepede uyuyacaksın, diyerek müsaade isteyip yanından ayrıldı.

Atakan o gece, uzun zaman sonra, kanepede bile olsa benliği huzur dolmuş vaziyette rahat bir uyku uyuyabildi.

Sabah olduğunda Atakan, Şebnem'in hazırladığı enfes kahvaltı sofrasıyla karşılaştı.

– Ne zahmet ettin Şebnem!

– Bu gün göreceklerinden önce iyi bir kahvaltı yapmanı istedim.

– Bak merak ettim şimdi!

– Bu gün seni üniversitede üzerinde uzun zamandır çalıştığımız TÜBİTAK destekli çok gizli bir projeyi göstereceğim. Sen de bilirsin, karşılaşacakların ikimizin arasında bir sır olarak kalması gerekiyor.

– Bak bak, beni iyice meraklandırdın. Ne gibi bir projeden bahsediyorsun kuzum sen?

– Şahit olduğunda anlayacaksın. Bahsettiğin olaylar ve en son fotoğrafını gösterdiğin cihaz bizim deneylerde kullandığımız mekanizmaların yapısına çok benziyor. Birçok ülkede benzer araştırmalar çok yoğun bir şekilde devam ediyor ama insanlığın hâlâ bu konularda emekleme safhasında olduğunu düşünüyorduk. Gerçi biz de epey mesafe katettik denebilir.

– Ne tür bir deney bu?

– Üniversiteye gittiğimizde anlarsın.

iki arkadaş kahvaltıdan sonra doğruca Şebnem'in çalışmalarını yürüttüğü üniversitenin laboratuarına gittiler. Yolda Atakan'ın, takip edilip edilmediğini anlamak için meraklı gözlerle sağı solu kolaçan ettiğni gören Şebnem:

– Rahatsız olma artık, peşimizde kimse yok. Kuruntuların boşa tatlım . Sadece üniversiteye gidiyoruz, diyerek biraz olsun Atakan'ın huysuzlanmış ruhunu teselli etmeye çabaladı.

Üniversiteye geldiklerinde Şebnem, fizik laboratuarında ortamın sterilizesinin bozulmaması için arkadaşına özel hazırlanmış elbiseler ve galoşlar giydirerek içeriye aldı.;

Bir ara laboratuardaki düzenekleri uygun hale getirdikten sonra ortadan gözden kayboldu. Atakan Laboratuardaki garip cihazlar ile sessizliğin içerisinde baş başa kalmıştı. Bir süre sonra elinde kafeslerden beyaz bir fare alarak gelen Şebnem cihazların karşısına daha önceden oluşturulmuş düzeneğin içerisine kobay fareyi koydu. Atakan'a "Buraya gel" diyerek onu bilgisayarın başına çağırdı. Ana bilgisayardan uzanan kablolar Atakan'ın fotoğraflarını çektiği mekanizmaya benzer bir alete kadar uzanıyordu. Şebnem bilgisayarın başına geçerek denek farenin olduğu yere doğru duyulmayan düşük frekanslı ses dalgalar yayınladığını söylediği bir işlemi başlatmak için klavyede değişik komutlar yazmaya başladı.

— Seyret şimdi diyerek Atakan'a kobay fareyi gösterdi.. Programı çalıştırdıktan bir süre sonda komut olarak "Sağ yön" yazdığında kobay farenin labirentin içinde sağa doğru yöneldiğini, "sola yönel" yazdığında farenin büyülenmişçesine labirentin duvarlarına çarpa çarpa sola doğru yönünü değiştirerek hareket ettiğine şahit oldu. Denek Fare adeta bilgisayardan verilen komutları arada hiçbir bağlantı olmamasına rağmen algılıyor ve verilen her emri eksiksiz yerine getiriyordu. Atakan gördüklerine inanamamıştı.

– Bu nasıl oluyor? diyerek merakını belli etti.

– Çok basit, insan kulağının duymadığı dalga boyutlarında çeşitli frekanslarda deneğin beynine hiçbir bağlantı olmadan gördüğün yansıtıcıyla dalgalar yollamak suretiyle talimat veriyoruz. Bu şekilde beyninin hareket ve düşünme kabiliyetini manipüle ediyoruz. Her canlıya farklı dalga boyutunda manipülasyon komutları yollanıyor. Mesela köpeklerde 16–17 khz civarında bir temel titreşim gönderiliyor. Ancak onların algılayabildiği sesleri biz insanlar işitemiyor hatta farkına dahi varamıyoruz. Bu şimdiye kadar insanoğlunun ulaşmış olduğu bir teknolojiydi. Ama senin fotoğraflarını çektiğin cihazın mekanizması ve işlevi, bu teknoloji, daha farklı bir şey...

– Daha gelişmiş yani!

– Bak şimdiye kadar şahit oldukların daha birşey değil, diyerek farenin yanına kavanozdan çıkardığı kocaman bir solucanı koydu. Bir süre sonra bilgisayara "yok et" talimatı verildiğinde farenin solucanı labirentin içinde bularak dişleriyle acımasızca parçaladığını gördü. Nerede ise fare büyülenmişçesine Şebnem'in bilgisayarına yazdığı tüm komutları anlıyor ve aynısını uyguluyordu. En son Şebnem "yukarı" yazdı. Labirentin yukarısında ise giyotine benzer keskin bıçakları olan bölmeye doğru yürüyen farenin hiç tereddüt etmeden kafasını keskin bıçakların olduğu yere sokmasıyla kafasının kesilmesi bir oldu. Beyaz labirentin içi bir anda kana bulanmıştı.

Atakan:

– İğrenç bir şey bu, diyerek gördükleri karşısında tepkisini dile getirdi.

– İğrenç fakat bir gerçek Atakan... Hayvan deneklerin üzerinde beyin dalgalarını kullanarak manipülasyona maruz bırakma ve komut verme teknolojileri dünyada hızla gelişiyor. Bu iletişimde çığır açacak bir devrim.

– Ama deneyler insanlık adına etik mi peki. Sakıncalı değil mi? Ürettiğiniz teknoloji yanlış ellere geçerse neler olabileceğini düşünebiliyor musun?

– Her buluş öyle değil mi?. Atom çekirdeği ilk parçalayan İngiliz bilim adamı Ernest Rutherford buluşunun ileride insanları yok eden bir atom bombasına dönüşebileceğini nereden bilebilirdi ki? Her yeni bilginin zehirli bir ucu yok mu? Ama askerî alanda bu teknolojinin kullanıldığını düşünsene! Sınır tanımaksızın etki alanında kodlayabildiğin her talimatı aracısız, kablosuz dilediğin askere ve birliğe ulaştırma özgürlüğüne sahip olacaksın demektir bu.

– Ruh ve irade, burada ne oluyor?

– Onun için deneklerimizi hayvanlardan seçiyoruz. İnsanlardaki sorun da burada başlıyor. Hayvanlarda algılamalar hisler ve yaşam, içgüdüleriyle sınırlı olduğundan yakın mesafelerde kontrol edilebilmesi çok kolay olabiliyor. Ama insanlardaki düşünme, karar verme, vicdan hislerinin teknolojinin yan etkilerini ortaya çıkaracağı ve insan deneklerde psikolojik bozukluklara sebebiyet vereceği düşünülüyor. En azından bizim ulaştığımız bilimsel noktalar bunlar ama bilim durmuyor ve her keşfedilen teori gerçeğe dönüşüyor.

– Yani insanların da uzaktan verilmiş komutlarla ve beyin dalgalarıyla manipüle edilerek hareketlerinin kontrol edilebilmesi mümkün mü?

– Tabiî ki mümkün. Ancak bu enformasyonun insan beyninde yapacağı tahribatın boyutları ve yan etkileri araştırılıyor. Hayvanlarda deneğin gönderilen sinyallerin içinde barındırdığı şifrelere karşı herhangi bir karar verici mekanizması yok. Bu nedenle bilgi gönderdiğin deneği kontrol edebilmek ve yönlendirebilmek çok kolay. Ancak insanda da şartlandırıcı ve bilgi edindirici ön koşullar sağlanabilirse yönlendirmenin bir şekilde yapılabileceği hususunda birçok fizik çalışmalarının dünyada gizli de olsa yapıldığı bilim adamları tarafından konuşuluyor.

– Peki denek bunu reddederse?

– O zaman bu güç tam tersine işlemeye başlıyor. Bir nevi ilacın yan etkisi gibi. Dünyada "Beyaz Ses" adıyla adlandırılan projelerde bu tür manipülasyona maruz kalan insanlarda hayal görmeler, sıkıntı, iş konsantrasyonu bozukluğu, halüsinasyonlar, hatta intihara kadar sürükleyen bir sürecin başlangıcı olabilir.

– Bu şekilde dünyanın neresinde olursan ol, daha önce bilgi akışına şartlandırılmış isen çok uzaklardan verilen bir askeri emri hafızanda görebilir ve gereğini yerine getirebilirsin demek mi yani?

– Aynen dediğin gibi. Deney laboratuarına seni getirmemin sebebi de senin olayının bizim deneylerimizle benzerliğiydi. Bahsettiğin Üzeyir'in bulduğu askerî gizli kodlar nelerdi?

Atakan, Amerikan gizli servisinin ilgilendiği kodları yazarak Şebnem'e gösterdi. Şebnem kodlar üzerinde biraz düşündükten sonra:

– Bir tez ama... Diyorum ki, sanki Üzeyir'in beyni de önceden başkaları için tasarlanmış böylesi bir manipülatif etkiye yanlışlıkla maruz kalmış olabilir. Ama her ne sebeple olursa olsun bu daha yeni bir teknoloji. Gerçi dünyada askeri amaçlı olarak beyin algılamaları ve nanoteknoloji kullanılarak frekans tanımlama çalışmaları nükleer fizikçiler tarafından şu anda da yapılıyor ama...

– Peki, bir sonuca ulaştı mı bu çalışmalar?

– Ne kadarına ulaşıldığını ben de bilmiyorum. Ama demek ki birileri bu konuda bir sonuca ulaşmış olabilirler ya da henüz deneme aşamasındadırlar. Bunun sonuçlarının nerelere vardığını bilmek ortaya çözümü zor sorunlar koyabilir ve çok büyük tehlikeler meydana getirebilir. Ancak çözülmeyen konulardan bir tanesi de etki alanları meselesi. Eğer bu teknoloji kullanılıyor ise denek üzerinde belirli bir mesafeden aktarımın yapılması gerekmekte. Senin kayaların dibinde gördüğün cihaz, bizim geliştirdiğimiz komut sinyalleri yansıtıcılarının daha üst modeli sanırım. Bak, şuradaki bağlantıları görüyor musun? diyerek, Atakan'ın gösterdiği cihazın içerisinde anlayamadığı birçok elektirik devrelerini ve bağlantılarını gösterdi.

– İçerik olarak da deneylerde kullanılan basit yansıtıcılarımızın gelişmiş haline benziyor. O yüzden dün gece sana bir şey demedim. Eğer bunu birileri askeri amaçla kullanıyor ise bir şekilde verilen talimatlar o anda o eksen üzerinde kesişen Üzeyir'in beyin dalgalarına denk gelmiş ve kodları bu sayede hafızasına işlemiş olabilir.

– Peki ya Haleda ve anlattıkları?

– Çalışmaların daha ne tür yan etkileri olduğunu bilemiyoruz. Birtakım halüsinasyonlar ya da kurguların, gerçekmiş gibi algılanması beyin kontrolünün yan etkisi olarak Üzeyir'de ortaya çıkmış olabilir. Zira doğrudan beyne müdahale söz konusu. Komut alım etkisine ön hazırlık yapmamış ve eğitilmemiş beyinler emirleri algılamakta zorluk çeker. Suje, enjekte edilen dalgaları gerçeğe en yakın haliyle kurgulayarak kabul edebilir. Bu da deneğin geçmiş yaşamındaki kesitlerden ya da deneyimlerinin gerçeğe dönüşmesi şeklinde gelişebilir. Belki de Haleda olarak adlandırdığı şey Üzeyir'in gençlik aşklarından biri ya da bir filmde gördüğü ve kendince düşlediği idol hayal olabilir. Uzaklardan gönderilen askerî komutlar beynine yazılırken, vazifenin anlamını ve yapması gerekeni bilemediğinden boşa çıkmış komutların yanında idol cismi de görsel olarak beyninde inandırıcılık alt tabanı oluşturmuş olabilir.

Atakan son zamanlarda yaşadığı olaylara ve kaosun çözümüne, ilk kez mantık çerçevesinde bir yol haritası bulmanın verdiği rahatlık içerisindeydi. Ama hâlâ kafasında binlerce soru dönüp dolanıyordu. Şebnem'in sözlerinin aklına yatması için gördüklerini beynine sindirmeliydi.

Gördüklerinden hayli bunalan Atakan çalışmalarına biraz ara verip üniversitenin kampüsündeki çay salonuna gitmek istediğini söylediğinde, iki arkadaş galoşlarını laboratuarda bırakarak üniversitenin gürültülü koridorlarına kendilerini attılar. Biraz olsun nefes alan Atakan kahve içip dinlenirlerken, Şebnem'in anlattığı fiziksel doğru akım teorisi ile beyin kontrolünün nasıl sağlanabileceği hususunda sorularını sormaya başladı. Hararetli geçen konuşmada bir ara eli kahve fincanına değince masada küçük bir göl oluşturuverdi.

Masanın üzerinde birikmiş kahve telvelerini temizlemek için yan sandalyede duran gazeteyi eline alan Atakan, bir anda gördüğü fotoğrafla irkildi. Fotoğrafın altındaki "Mardin'de Hizbullah'tan infaz" başlığını okuduğunda şaşkınlığı zirveye varmıştı. Haberin devamında, Üzeyir Kaman isimli Hizbullah terör örgütü üyesi bir kişinin, Mardin'de Mizgin Hoca lakabıyla ünlenen kişiyi kafasından tek kurşun ile vurarak öldürdüğünü yazıyordu.

Şaşırmıştı. Sakalları birbirine karışmış halde gazeteye fotoğrafı basılan kişinin, dosyası üzerinde çalıştığı Üzeyir Kaman olduğunu gördü. Heyecanlanmıştı.

– Şebnem bakar mısın şu gazeteye. Bu bizim Üzeyir!..

– Hangi Üzeyir.

– Ya benim incelediğim hasta... İşte gazetenin üzerindeki fotoğraftaki kişi. Demek sonunda yapmış yapacağını!..

– Ne yapmış?

– Bahsetmiştim ya. En son görüşmemizde bana Semuyt'u ya o hocanın elinden kurtaracağım ya da Mizgin Hoca'yı öldüreceğim diye tutturmuştu.

Atakan hayretler içerisindeydi.

– O halde?

– O halde Atakan, eğer dediğim gibi Üzeyir yanlış zamanda yanlış yerde -o çeşmenin başında- bulunduğundan o anda bir Clair-Voyage sistemiyle yönlendirme kaydına maruz kaldıysa, her şeyi yapabilir .

Atakan acı acı gülümsedi.

– Yani bu işin Amerikalıların beyin dalgalarını manipüle eden sinyalizasyon sistemiyle bir alakası var diyorsun.

– Üzeyir'in hayalleri ve duru görüleri ile yaptığı işlere bakacak olursak neden olmasın ki? Mizgin Hocayı kendine düşman olarak görmesinin sebebi sadece köylü bir kıza duyduğu aşk olamaz.

– O halde?

– Bahsettiğin ley hatlarının koruyucuları değil mi bu Mizgin Hoca?

– Evet.

– O halde, Mizgin Hoca'nın bahsettiği gibi; Mezopotamya ovasında kötülüğün ve kaosun başlaması için kendine karşı her gücü düşman gören 'uzak kıtadakilerin', Üzeyir vasıtasıyla Mizgin Hoca'yı ortadan kaldırarak satrançta bir kaleyi daha fethettiklerinin işaretidir.

Atakan gülümsedi.

– Bir de Hizbullahçı demişler bizim Üzeyir'e, yazık. Onun hiçbir terör örgütüyle alakasının olmadığını detaylı araştırmalarımız esnasında öğrenmiştik. Kendi içinde kendi meselesiyle yaşayan bir meczup sadece. Sorgulandığında zavallının gerçek hikâyesine sanırım kimse inanmamıştır.

– Atakan, bu soruların gerçek cevabına ulaşmak için yapman gereken tek şey, kayaların dibinde gördüğün o kutudaki algılayıcı bulmak olacaktır. Eğer cihazın cidden beyin manipülasyon algılamalarını yayan bir cihaz olduğunu ispat edebilirsek, sonuca biraz daha yaklaşmış oluruz.

– O halde bir an önce tekrar oraya gitmeliyim. Fakat o cihazı yerinden alırsam, birileri bunu fark edebilir?!.

Şebnem gülerek;

– Bu tehlikeye değmez mi? dedi.

Atakan haklısın manasında kafasını salladı. Üniversitede işi şimdilik bitmişti. Yapması gereken şey, İğneada'ya dönerek kayaların arasındaki o cihazı Şebnem'e getirip soruların cevabına biraz daha ulaşabilmekti.

Şebnem'den müsaade isteyip kendini Beyazıt'tan Laleli'ye akan insan trafiğine bıraktı. Yolda giderken düşünceleri iç içe geçmiş gibiydi. Şebnem'in anlattığı manyetik uyarım sistemi, Mizgin Hoca'nın anlattığı insan ötesi varlıklar, her biri teoride birbirine karışmış durumdaydı. Yolda giderken bir an "buralarda ne arıyorum ki" diye iç geçirdi. Geleceği parlak bir Türk subayı idi. Son görevinde o kaçık Üzeyir ile tanışmasaydı bunların hiçbirisi başına gelmeyecekti. İki senelik doğu vazifesinden sonra, ülkenin batısındaki müfrezelerde rahat bir şekilde askerlik yaşamını sürdürebilecekti. Şimdi ise saçı sakalına karışmış, cebinde kalan son birkaç kuruşunu da İstanbul'dan kiraladığı arabaya vermiş bir halde bilinmeyene doğru yol alıyordu.

Yumak haline gelen duygu ve düşünceler içerisinde yolun nasıl bittiğini anlamadı. E–5 karayolundan dağ yoluna doğru saptığında, kavislere tekerlekleri vurdukça arabanın hızdan sağa sola doğru yattığını görüyordu. Dağın en yüksek tepesine geldiğinde, güneşin artık aşağı doğru inişe geçtiğini görünce fazla zamanı kalmadığını anladı. Gece olmadan cihazın olduğu yere varmak için daha hızlı arabayı sürmesi gerektiğini farketti. Gaza daha çok yüklendiği esnada, dağ yolundan ormana doğru sapan yolun başında, daha önce çeşitli defalar gördüğü siyah jipin durduğunu farketti. Aynadan arkaya bakıp yeniden kavşakta duran arabayı görmeye çalıştı. Ancak yol çok kıvrımlı ve kasislerle dolu olduğundan görüş mesafesini kaçırmıştı. Son bir gayretle arkasını döndüğünde, siyah jipin metalik ön tamponlarının yolun başında parladığını fark etti. Arkasına bakarken, önündeki kıvrımlı yolun kasisine tosladı. Aracın lastiklerinden ve motorundan dumanlar çıkıyordu. Heyecanlanmış, eli ayağına karışmış haldeydi. Ani frenden dolayı stop eden arabanın marşına son bir gayretle yeniden yüklenip çalıştırarak, geri vitese takıp girdiği yol şevinden tekerlekleri kurtardı. Duracak zaman değildi. İğneada'nın dar yollarında son sürat, kayaların dibinde gördüğü o cismin yanına doğru arabasını sürdü.

Bir ara içinden vazgeçmek geldi. Kendince yapılabilecek her şeyi yapmıştı... Ama son bir hamle kalmıştı sonuca. Onu yerine getirmeden vazgeçemezdi. Arkasına baktığında kimsenin onu takip etmediğini gördüğünde içi biraz rahatladı. Güneş bulutların arasında yeniden kaybolmuş, denizin dalgaları alabildiğine coşmuştu. Mekanizmayı sahilde gördüğü ilk yere doğru yöneldi. Dikkat çekmemek için arabasını sahilin hemen yanından denize dökülen nehrin kenarındaki söğüt ağaçlarının arkasına bırakarak, kayalara doğru yöneldi.

Buraya gelirken, Şebnem, transkraniyal manyetik uyarım sistemlerinin nasıl olabileceği hususunda birkaç önemli bilgi vermişti. Sağına soluna bakarak, görünmeden, kutunun bulunduğu kayalıklara doğru hızla koştu. Yanında getirdiği alet çantasından çıkardığı takımlarla kutuyu açarak, özenle içine yerleştirilmiş bir nevi cep telefonunun büyüğünü andıran cihazı yavaşça yerinden sökerek çantasına yerleştirdi.

Çantasının uçlarını bağlıyordu ki, karşıdan, yolda gelirken gördüğü siyah jipin son sürat ona doğru yaklaştığını gördü. Arabasına atlayarak oradan uzaklaşabilirdi. Ancak buraya gelen tek yolda siyah jip vardı. Yürüyerek kaçabileceği hiçbir yer yoktu. Gözleriyle etrafı tarayıp oradan uzaklaşabilecek bir binek aradı. Gözü bir an nehrin yanındaki balıkçı kayıklarına takıldı ve çantasını sırtına takarak küçük balıkçı barınağına doğru koşmaya başladı.

Birkaç kayık, mevsim kış olması nedeniyle sahilde ters çevrilmiş halde duruyordu. Ama içlerinden birisi, denize açılabilecek konumda hazır haldeydi. Dalgalar kayığı neredeyse insan boyunda havaya kaldırıyor, daha sonra çekilen sularla beraber denizin sularına bırakıveriyordu. Kayığın arkasına takılı küçük motoru aceleyle çalıştırıp, Karadeniz'in derin sularına doğru tekneyi son sürat sürmeye başladı. Az çok Karadeniz kıyılarını biliyordu. Güneye doğru inerse İğneada'dan sonraki ilk liman köyünün sahillerine vararak oradan İstanbul'a geçebilirdi.

Karaya baktığında, jipteki adamların onu takip edemediklerini anladığında derin bir oh çekti. Muhtemelen jiptekiler izini kaybetmişler, takipten vazgeçmişlerdi. Bir süre denizde sakince yol aldı. Tam karayı gördüğünde, kuzeyden bir sürat teknesinin kayığını ikiye bölecek hızla denizi yararak kendine doğru geldiğini gördü. Gelen teknenin sürati çok fazlaydı ve kaçacak bir yeri yoktu. Gelenleri karşılaşmaktan başka yapacak hiçbir şeyi kalmamıştı. Tekne yaklaştıkça içinde iki kişinin olduğunu gördü. Tekne kayığın yanına yaklaştığında, adamların kendi aralarında heyecanlı bir şekilde konuştuklarını duydu. Adamların ikisi de siyah tenliydi. İçlerinden kısa boylu olanı, eliyle çantasını işaret ederek bozuk bir Türkçe ile;

– Ver onu bana! diye bağırdı.

Atakan tereddüt etti. Ancak diğerinin elinde susturuculu bir silah gördü. Adam bozuk bir lisanla hep aynı cümleyi tekrarlıyordu.

– Ver onu bana!

Adam eliyle kayığa doğru hamle yaptığında Atakan çantasını uzatır gibi yaptı. Adam çantayı tutmak için ileri doğru uzandığında Atakan hızla çantayı kendine doğru çekince siyahî adam bir anda denizin sularına gömülüverdi. Teknede kalan diğer siyahi adam elindeki silahı bir kere ateşledi ama kurşun Atakan'ın sol omzundan sıyırıp geçti, Atakan hızlı hareket edip ikinci siyahî adama doğru bir hamle yaparak çantayı adamın kafasına vurdu. Adam o anda tekneye yığılınca Atakan kısa bir boğuşmanın ardından onu da tuttuğu gibi Karadeniz'in soğuk sularına attı. Diğeri yüzerek yeniden gelmiş, teknenin demirlerine tutunarak yukarı çıkmak üzereyken Atakan eline geçirdiği silahın kabzasıyla kafasına bir darbe indirip tekrar denize düşürmeyi başardı.

İki adam baygın halde suların dibine gömülürken Atakan

onlardan kalan tekneye atlayarak son sürat arabasını bıraktığı yere doğru yöneldi.

Tekneden karaya çıktığında nefes nefese kalmıştı. Bütün elbiseleri arbedede ıslanmış, yüzü gözü çamur içerisinde almıştı. Çantasını açarak, içine koyduğu cihazın sağlam kalıp kalmadığına baktı. Cihazın üzerindeki kırmızı sinyallerin hâlâ yanıp söndüğünü gördü. Sağına soluna kolaçan etti, sahilde kimsecikler görünmüyordu. Birileri sahilde olanlara şahit olmadan oradan hızla uzaklaşmalıydı. Arabasına binerek İğneada'ya doğru hızla yol almaya başladı. Son aylarda çeşitli defalar gördüğü siyah jipin içindeki adamlarla ilk kez yüz yüze gelmişti. Elindeki mekanizma ve Üzeyir'in hayatını alt üst eden şey her ne ise, denize attığı adamların bu işin içerisinde olduğu artık kesindi. Bu düşünceler içerisinde İstanbul'a son sürat gelmişti. Bir an önce Şebnem'i bularak getirdiği aleti ona göstermeliydi.

Telefonu açtığında heyecanlı bir sesle;

— Şebnem, getirdim. Üniversitede buluşalım, diyebildi sadece.

Üniversitenin kapısına vardığında kulübede duran güvenlik görevlisine Şebnem'i sordu.

– O bu saatte derstedir babam. Az sonra çıkar. Neden aramıştınız ki?

Atakan, görevlinin meraklı sorularına cevap vermeden, bir köşede onun bir an önce dersten çıkmasını beklemeye koyuldu. Bakışları sürekli çevreyi tarıyordu, peşinde kimsenin olmadığına hâlâ emin değildi. O anda Şebnem'i koridorun ucunda gördüğünde yanına yanaşarak koluna giriverdi. Şebnem telaş içerisindeki Atakan'ın koluna asıldığını görünce;

– Dursana biraz, çekiştirmesene Atakan! Neler oluyor? dedi.

– Sus Şebnem, bu şeye bir an önce bakman gerekiyor.

– Tamam, bakacağız ama bu telaşın nedir?

Şebnem'i koridorda bir kenara çekerek fısıldadı:

– Buraya gelmeden önce iki adamı suyun dibine gönderdim. Muhtemelen ölmüşlerdir. O soğuk sularda uzun süre dayanmaları imkânsız.

– Nasıl yani?

– Benim cihazı aldığımı gördüler ve peşime takıldılar. İki tane siyahi adam, o hep gördüğümden bahsettiğim siyah jiple beni takibe başladılar. Kaçmak için bir tekne buldum ve en yakın limana gitmek için denize açıldım. Ama denizde de beni buldular. Sonra boğuşma başladı ve işte ben buradayım. Onları baygın halde suyun içinde bıraktım. Arkadaşları peşimde olabilirler.

Şebnem neye bulaştıklarını anlamanın gayretiyle;

– Ama bunlar kim olabilir ki? diye sordu.

– Bilmiyorum Şebnem, ama elimdeki cihaz her ne işe yarıyorsa onu istiyorlar. Acele etmeliyiz. Bunun ne amaca hizmet ettiğini bulup acilen tekrar yerine koymalıyız.

Şebnem, Atakan'a dikkatlice baktığında dudaklarının soğuktan morarmış olduğunu, ellerinin titrediğini ve çok heyecanlandığını farketmişti. Onu doğruca fizik laboratuarına götürdü. Beyaz önlüğünü giyip eline plastik eldivenlerini takan Şebnem, kutunun içindeki aleti yavaşça masaya yatırdı. Elindeki kablolardan birkaçını ona bağlayarak çalışan aletin yapısını incelemeye başladı. Cihazı kurcaladıkça yüzündeki hayret ifadesi artıyordu. Atakan merak içerisinde;

– Evet, ne oluyor Şebnem? Bana da anlat gördüklerini, dedi.

Şebnem sakinliğini muhafaza ederek cihazı incelemeyi sürdürüyordu. Siyah kutunun içinde yanan kırmızı ışıkların yerini yeşil ışık aldığında Şebnem'in de yüzü gülmeye başlamıştı.

– Evet, buna benzer aletler görmüştüm ama bu harika bir teknoloji. Bununla neler yapılmaz ki! diyerek elindeki aleti bilgisayarın bağlantısıyla birleştirdi ve hayranlığını ifade etti. Atakan halen birşey anlamamış haldeydi:

– Yani ne demek oluyor bu?

Şebnem, bilgisayar bağlantısını yaptığı aletin iç yapısını inceledikten sonra;

– Bir nevi telepatik yansıtıcı Atakan, dedi. Ama çok güçlü bir yansıtıcı... Verilen komutları istenilen yere gönderebilme özelliğine sahip. Evrendeki radiyant enerjiyle, gözümüzle göremediğimiz spektrum ve dalga boyu ile göndermeye yarayan bir nevi yansıtıcı.

Atakan meraklı gözlerle hâlâ Şebnem'den bir açıklama bekliyordu.

– Bak, biz insanlar sadece çeşitli dalga boylarını görebilir ya da hissedebiliriz. Mor ötesi ya da kızıl ötesi dalga boylarını gözümüzle göremeyiz. Röntgen ışınları, termal kameralar, yeraltı su havzalarının haritaları hep bu göremediğimiz ışınlar yoluyla ölçülür.

Elindeki aletin bir parçasını Atakan'a göstererek;

– Bak bu alet neler yapmaz ki! Mesela elektromanyetik ritmik vuruşlarla kişinin başının matkapla oyulduğu hissi verebilir. Çok düşük frekanstaki (VLF) iyonlama olmayan bir radyoaktivite ile istenilen bilgiyi o bilgiyi almaya koşullu insanın aklına sokabilir.

– Yani...?

– Yani, şimdi yapbozun taşları yerine oturmaya başladı. Senin Üzeyir muhtemelen bu aletin bulunduğu bölgeden gönderilen askeri amaçlı bir kodlamanın iletildiği anda yanlış yerde bulunuyordu ve her ne sebeple bilemiyorum ama beyni elektromanyetik iyonlama işlemine maruz kaldı.

– Yani bu aleti kullananlar askerî bilgileri beyin kontrolü yoluyla telsizsiz, başka bir alete gerek duymadan istenilen yere ve kişiye ulaştırabiliyorlar.

– Sadece o değil Atakan. Bu aleti kullanarak bilgi akışı sağlanabildiği gibi kötü niyetli kişilerin elinde korkunç bir silaha da dönüştürülebilir.

– Mesela?

—Mesela, atom bombası gibi. Remote viewing, remote sensing ters işletilirse kişi gönderilen sinyallerle bunalıma sürükletilebilir, intihara teşebbüs etmesi sağlanabilir.

– Yani bilgi yüklemesi dost kuvvetlere bilgi akışında, düşmanlara karşı da psikolojik bozuşmada kullanılabilir.

– Sadece bu da değil. Etkiye maruz kaldı isen beyin nodüllerinde ve bilinçaltında gelişen komut sistemiyle, bir araba ya da uçak kullanıyor isen, yolun ya da bir dağın yerini yanlış algılatarak kaza yaptırmak suretiyle ölümüne sebep olabilir. Ya da başka bir deyişle, seni bir intihar saldırısına sürükleyebilir.

– İnanmıyorum. Bunu bu alet mi sağlayacak?

– Sadece bu alet değil. Bu basit bir yansıtıcı. Bunun arkasında çok karmaşık bir bilgi sistemi ve yazılım olmalı. Hiç bale yaptın mı hayatında?

– Ne alakası var şimdi?

– Bak o zaman seninle Kuğu Gölü balesinden bir pasaj onayalım, diyerek laboratuarda denekleri izledikleri kamerayı laboratuarın orta yerine doğru çevirerek algılama moduna getirdi.

– Benim gönüllü deneğim olur musun?

– Bu gerekli mi?

– Kafandaki sorulardan kurtulmak isteyen sensin. Ama istemiyorsan...

– Peki, peki, ne yapmam gerekiyor şimdi?

– Şimdi odanın karşı köşesine doğru yürü. İçinden, bale yapabilirim diye geçirmeni istiyorum.

– Ben mi? derken gülümsüyordu.

Atakan biraz zorlansa da bu isteğini kabul etti. Yavaş adımlarla yürüdüğü odanın köşesinden bir yandan da Şebnem'in yaptıklarını izliyordu. Şebnem bilgisayarın klavyesinde bir şeyler yazıp tuşlara bastıktan sonra;

— Şimdi oldu. Bekle ve sakin ol, diyerek klasik bir müzik çalmaya başladı.

Bilgisayarın enter tuşuna bastığında, Atakan şaşkın şaşkın ona bakarken gözlerinde farklılaşma belirmeye başladı. Cihazdan yansıyan görünmeyen dalgalar adeta Atakan'ı bir kukla haline getirmeye yetmişti. Adeta büyülenmişçesine bir anda profesyonel baletlerin uyguladığı figürleri yapmaya başlamıştı.

Şebnem bu kadarının yeterli olduğunu düşünerek, bir süre sonra yeniden enter tuşuna bastığında Atakan'ın nefes nefese kalmış halde hâlâ ona baktığını gördü. Atakan kendine geldiğinde olan bitenin farkında değildi.

– Hadi ne yapacaksak yapalım, dedi. Şebnem gülümsedi.

– Yaptık bile, diyen Şebnem kameranın kaydını urdurdu. Aldığı bağlantı kablosunu bilgisayara takarak Atakan'ı yanına çağırdı. Ekranı gösterip:

– Seyret şimdi, dedi.

Atakan bilgisayar ekranında gördüklerine inanamıyordu. Hipnoz olmuş bir balet gibi havada bir kuğu misali süzülüp çeşitli figürler yaptıktan sonra yerde çeşitli koreografiler çiziyordu. Gördüğü manzara karşısında sadece "Bu ben miyim? Bu hareketleri ben mi yaptım?" diyebildi.

– Evet, o sensin. Gördüğün gibi denek algılamaya açık olduktan sonra verilen her komutu anlayabilir ve icra konumuna geçebilir. Bu tür aletler daha düşük boyutlarıyla transkaniyal manyetik uyarımlarda kompulsif bozukluk ve şizofreni gibi psikolojik bozuklukların düzeltilmesi amacıyla psikolojide kullanılmaya başlandı. Ancak askerî boyutlu olarak kullanıldığını bilmiyordum. Sorularının yanıtları artık yavaş yavaş zihninde canlandırabiliyor musun?

Atakan'ın uzun zamandır cevabını aradığı soruların hepsi

beyninde şekillenmeye başladı. Üzeyir Kaman'ın Güzellik Çeşmesi'nde gördüğünü sandığı şey hayalinde her zaman canlandırdığı bir güzeldi. O anda askerî birlikte yapılan gizli tatbikatta Amerikalı ve İsrailli askeri uzmanların denediği çok gizli projenin bir parçası haline gelmiş ve yapılan yanlış bir uygulama neticesinde çok uzaklardaki Amerikan birliklerine gönderilmesi gereken gizli askeri kodlar onun beyninde bu şekilde canlanmıştı.

– Üzeyir de bu etkiye maruz kaldı o halde.

– Evet, Mahya tepesindeki Türk Birliklerine ait radar sistemi kullanılarak, uzaklardan gelerek süzülen bilgiler muhtemelen bu cihazla Irak savaşındaki askerlere doğrudan beyin algılama yöntemiyle gönderiliyordu.

Atakan şimdi herşeyi daha iyi anlayibiliyordu. Şebnem gülerek;

– Dedim sana. Bilimin çözemeyeceği bir şey yok.

– Evet, dedi manalı bir şekilde Atakan.

– O halde Üzeyir yanlış zamanda yanlış yerdeydi.

– Evet, o anda Mahya Dağı dediğin yerdeki sinyalizasyon kullanılarak kayaların arasında gördüğün alete gönderilen sinyallere maruz kaldı. Amerikan askeri birimlerinin Irak'taki askerlerine gönderdiği algılama kodları yanlışlıkla iyonize olarak Üzeyir'in hafızasında canlandı. Beyni, gelen sinyallere hazırlıklı olmadığından da, algıladığı kodları halüsinasyonlarla birleştirerek ruhunda anlam bulması için zorladı. Haleda dediği o görsel hayal de, anlattığı hikâye de sadece beyninin algıladığı kodlara karşı kendini inandırmaya çalışmasının bir yan tesiriydi.

– Yani Amerikan güçleri, NATO tatbikatının perde arkasında, Türkiyede'ki askeri üssün sinyalizasyonunu gizliden basamak yaparak Irak'ta savaşan askerlerinin neler yapacağını bildiriyor!

– Bingo! Aynen öyle. Senin Üzeyir de askeri kodların sinyalizasyonuna uygun bir yerde bulunduğundan dolayı hafızası karışarak yapmaması gereken şeyleri yapmaya başladı.

– O halde sistemin hâlâ açıkları var demektir bu. Eğer ki bilgiler hiç alakasız birisinin beyninde canlanabiliyorsa bu gediğin kapatılması gerekmez mi?

—Mutlaka. Sanırım bu, NATO tatbikatında Amerikan birimlerinin gizliden gizliye yürüttüğü bir projeydi. Türk Birliklerine yeni kurulan hava sistemlerini denemek için gelmiş gözükseler de, uydu alıcısına yakın bir yerde gizlice konuşlandırdıkları elimizdeki cihazı dünyanın çeşitli noktalarındaki askeri birimlerine bilgi aktarmak için kullanıyorlardı.

—Bu sonuç, şimdiye kadar ulaşmak istediğim cevaba en yakın mantıklı bir açıklama. Uzun zamandır peşime takılan o siyah jipli adamlar da bunu biliyorlardı. Üzeyir Kaman'la görüştüğümden, beni de bir şekilde ortadan kaldırmak istediler. Taksim'deki benimle aynı montu giyen askerin bir dakika önce çıktığım barda bıçaklanması, o takipler, Mardin'de Cimşit denilen o alçağın bana teklif ettiği paralar, İğneada'daki o arbede... Bu gizli tatbikatın sırlarına bir başkasının ulaşıp ulaşmadığını kontrol etmek için düzenlenmiş operasyonlardı. Benim gibi işin profesyoneli olmayan bir kişi konu hakkında görevlendirilmek suretiyle bir şekilde Üzeyir'in şizofren olduğuna inandırılıp konunun üzeri kapatılacaktı.

– Bulgularını gerekli birimlere haber vermeyi düşünüyor musun?

– Hayır. Eğer bilmemem gereken bir şeyi biliyor isem bunu bildiğimi anlatmama da gerek yok. Bu ikimizin arasında şimdilik bir sır olarak kalsın.

– Haklısın. Artık Üzeyir Kaman dosyasını kapatmanın zamanı. Bu konuda tatmin olduysan artık kendine bir çekidüzen ver. Kendini toparla ve o eski Atakan ol. Karşımda o eski Atakan'ı görmek istiyorum.

Atakan, Şebnem'e sarıldı.

– Teşekkürler Şebnem, yardımların için sana müteşekkirim. Emin ol, sen olmasaydın bu konu aklımdan bir türlü çıkmayacaktı ve kimbilir ne hallere düşecektim.

– Asıl ben teşekkür ederim, sırrını, derdini benimle paylaştığın için..

Şebnem, arkadaşının omzuna yaslanarak yanağından öptü. Atakan bu hareket karşısında ilk kez Şebnem'le bu kadar yakınlaşmaktan dolayı utanmıştı.

– İznim bitti Şebnem. Yarın Mardin'deki birliğime geri dönmem gerekiyor. İntibak sürem de doldu. Bu sefer ileri dağ birliklerinde operasyonlara katılacağım. Onun için bu gece annemleri de görmek istiyorum. Biraz dinlenirim. Oradan beni sabah uçağına yolcu edersin.

Şebnem, Atakan'ın tekrar eski haline geldiğini görmekten dolayı çok sevinçliydi.

– Bak, bir ay sonra Bolu Kartalkaya'da arkadaşlarla snowbord yapmaya gideceğiz. İstersen izin al gel, beraber vakit geçiririz. Hem senin de bu garip badireden kurtulmanı kutlarız.

Masada duran cihaza bakan Atakan:

– Peki ya bu aleti ne yapacağız? diye sordu. Şebnem düşünceliydi.

– O tehlikeli yerlere bir daha gitmeni istemiyorum. Şimdilik üniversitenin gizli kasasına koyalım Atakan. Yarın kobay farelerini ve katı atıkları yok ettiğimiz fırında onun da hayatı son bulur, dedi.

Atakan çok yorulmuştu. Uzun zamandır kafasındaki sorulara yanıt bulabilmek için koşuşturmaktan bitap düşmüş bedeni ve ruhu bu fikre hayır diyemedi. Son kez Şebnem'in gözlerine bakarak müsaade isteyip üniversiteden ayrıldı.

Üniversiteden ayrılırken ruhu dinginleşmişti. Otobüs duraklarına doğru yöneldi. Gözleriyle sokaklarda dolaşan insanları anlamsızca süzüyordu. Şebnem'le ulaştığı sonuç bir yönüyle mantığını ve ruhunu tatmin etmiş gözükse de, Mizgin Hoca'nın bahsettiği ley hatları ve orada şahit olduğu hadiseler hâlâ esrarını koruyordu. Amerikan askeri birimlerinin Irak'taki veya dünyanın çeşitli ülkelerindeki askerlerine beyin dalgaları yöntemiyle enformasyon yapmasına diyecek bir şeyi yoktu. Sözkonusu cihazlarla Türkiye'de birtakım insanların düşüncelerinin ve davranışlarının manipüle edilmesi, böylece ajite edilen duygularla iyonlanan beyinlere istenilenin yaptırılması veya intihara sürüklenmesi mümkün olabilirdi. Şebnem'in deneyleri bu düşünceyi haklı çıkaracak kadar kesin veriler içeriyordu. Fakat Mizgin Hoca'nın yanında şahit olduklarını düşündüğünde, Üzeyir Kaman hadisesinde iç içe geçmiş girift olaylar zincirinde başka halkalar bulunduğuna inanıyordu. Semuyt gerçekti. Daha sonra yakalanan diğer iki ifriti ve onları mahkûm ederek Mizgin Hoca'nın kara kaplı defterine gömen iki yeşil varlığı kendi gözleriyle bizzat görmüştü. Sonra Mizgin Hoca'nın anlattığı tarihi olayların yaşandığı zamanlarda böylesi bir teknolojinin de olması mümkün görünmüyordu.

Düşüncelerindeki bulanıklık geçecek gibi değildi. Yorgundu ve yarın Mardin'e uçakla dönmeden önce anne babasını ziyaret etmek istiyordu. Çemberlitaş'a parkettiği arabasını almak üzere bir süre sokaklarda öylece yürüdü. Vitrinleri dalgın dalgın seyrederken camın önüne dizilmiş son sistem LCD ekran televizyonlara bakıyordu. Haber bültenindeki görüntüler kendisine hiç de yabancı değildi. Görüntüde Karadeniz'in soğuk sularından çıkarılan iki siyahî adamın cesetleri gösterilirken, olay, Avrupa ülkelerine gitmek isteyen kaçak göçmenlerin Karadeniz'deki hazin sonu olarak haber yapılmıştı!..

İstanbul'da yağmur hafiften çiselemeye başlamıştı. Yağmur damlalarının düşüşünü görmek için yüzünü havaya kaldırdığında, karşısında duran Çemberlitaş gözüne ilişti. Bir anda aklına Mizgin Hoca'nın bahsettiği "iyilik hatları"nın sınırları geldi. Ağzından gayri ihtiyari, "Kâbe Hacerül Esved taşı, Kudüs

Mescid-i Aksa mağarasının tavan taşı ve İstanbul Çemberlitaş" sözleri dökülüverdi. Çemberlitaş'ın kuzey ucuna baktığında ise II. Abdülhamit Han'ın mezarının hemen yanında yer aldığını gördü. Belki de bu gizli sırrı yüzyıllar öncesinden bilen kimselerin, bu mübarek mekânların sınırlarına bir bekçi gibi dikilmiş olabileceğini düşündü. Sokaktan gelip geçenlerin II. Abdülhamit'in mezaristanı başında dualar okuduğunu gördüğünde, arabasını almadan önce kabrin başına giderek, tarihte iyiliğin ve adaletin yayılması için mücadele etmiş ecdadın ruhuna bir Fatiha okudu.

* * *

2 ay sonra...

Şırnak-Bestler-Dereler Mevki-Türkiye saat: 03.35

Kar dağın eteklerinden yamaçlara doğru iniyordu. Atakan'ın komutasındaki askeri bölük, bir grup teröristin bulunduğu haberi üzerine helikopterlerle Bestler-Dereler Mevkiinde operasyona katıldı. Akşama doğru çıkan tipi nedeniyle arazide göz gözü görmüyordu. Terörist grubun kaçma yolu olan güney cephesine pusu kuracak olan Atakan'ın komutasındaki birlik, kendini bir anda daha önce bölgeye indirilmiş olan askerî birlikle terörist grubun arasında buluverdi.

İki ateş arasında kalan Atakan, askerlerine hemen mevzi almalarını söyledi. Kendisi de küçük bir mağaranın ağzında siper alıp karşıdan gelen ateşe cevap vermeye başladı. Bir ara silah sesleri kesilmiş, herkes kendi mevzisine daha çok yerleşme ve siper alma derdindeydi. Atakan tüfeğin biten şarjörünü dolduruyordu ki bir anda karşısında bir teröristin belirdiğini gördü. Heyecanla elini tetiğe attı ama şarjör boş olduğundan tetik mekanizması çalışmıyordu. "Buraya kadarmış!" diye düşündü.

Terörist, elindeki kalaşnikof marka tüfeği ona doğrultarak bir el ateş etti. Kurşun soğuk havanın içinden buhar çıkararak sol omzuna saplanıverdi. Mevzisi korunaklı olduğundan, terörist onunla dalga geçerek karşısında savunmasız gördüğü Atakan'ı yavaş yavaş öldürmek istiyordu. Gevrek gevrek gülerek, anlamadığı birkaç kelime söyledi. Atakan vurulduğu yere elini attığında, vücudundaki kanın adeta bir artezyen kuyusundan çıkmış gibi kaynayarak yeşil kıyafetine yayıldığını hissetti. Kan kaybetmeye başlayınca tansiyonu düşmüş, başı dönmeye başlamıştı. O ana kadar hayatta bütün yaşadıkları gözünün önünden geçiyordu.

Teröristin son kurşunu sıkmasıyla her şey bitecekti. Çevresindeki her şey sanki bir toz bulutuna sarılmış gibi dönüyordu. Nitekim terörist pis pis sırıtarak tüfeğini ateşlemeye hazırlanıyordu ki, garip bir şey oldu. Son anlarını yaşadığını düşünerek şahadet getirmeye çalışırken, Mizgin Hoca'nın evinde gördüğü aynı varlıklardan iki tanesi hayal meyal karşısında belirdi. Terörist söverek silahını son kez ateşleyecekti ki, o esnada yeşil bir bulut içerisindeki iki latif varlığın, mağaranın üstünde duran kocaman kayayı aşağıya yuvarlanmasıyla adeta bir sinek gibi altında eziliverdi.

Korku ve şaşkınlıktan donakalmış Atakan, mağaranın ucunda yeşil bir bulut içerisindeki iki varlığın hâlâ ona baktığını gördü. Bunlar kesinlikle Mizgin Hoca'nın evinde gördüğü ve hocanın bahsettiği rahmani cinlerden başkası değildi. O gece Semuyt gibi ifrit cinleri yakalayıp Mizgin Hoca'ya getiren rahmani cinler, bir şekilde Hoca'nın dediği gibi Atakan'ın en zor anında yardımına koşmuş ve hayatını kurtarmışlardı. İki varlık yavaşça Atakan'ın yüzüne doğru yanaşıp bir süre baktıktan sonra kendi aralarından bir şeyler fısıldaşarak bir anda ortadan kayboldular.

Sabah olmak üzereydi. Tepelerin ardındaki yoğun silah sesleri, teröristlerin kaçarken attıkları tek tük mermilerle taciz ateşine dönmüştü. Çatışma bittiğinde askerler komutanlarını mağaranın ağzında yaralı halde can çekişirken buldular. Atakan'ın bulunduğu mağaranın kapısında ise kayanın altında ezilmiş bir teröristin cesedini gördüler. Kan kaybından baygın düşen Atakan'ı almak üzere çatışma bölgesine gelen helikopter, Diyarbakır Askerî Hastanesine gitmek üzere havalandı...

Roman

Peymani Murat Çavga

Osmanlı'da bu tür muskalar, tılsımlar; savaşlara gidenler, yeniçeriler, sevdalılar, ruhi bunalımlar için çok kullanılmış ancak sonra bu ilim gözden düşmüştü. Ama siz buna ilim dediniz. Evet öyle dedim. Bu ilim, bütün ilahi dinlerin felsefesi içinde yer almış. Her varlığın bir kalbi vardır. İslam dininin de kalbi Fatiha suresidir. Bu ilim, surenin 7 ayetinin toplamı 28 sayısı ile başlamış ve Haccac zamanında sesli harfler eklenerek son halini almıştır. Bu konuda en büyük başarı ise, hayatın bütün gizemlerini barındırdığına inanılan ve tılsımların anası olarak bilinen Peymani'de görülmüştür. Paha biçilemeyen bu tılsım, bütün dinlerin üzerinde bir manevi değerinin olduğu rivayet edilir..

Gayrimüslim bir işadamının mezarlıkta ölü olarak bulunmasıyla başlayan olaylar zinciri, işadamının ölümünden önce yeğenine verdiği bir tılsım ile tarihin derinliklerine kadar uzanır.

Roman

İtinasız Erkekler Kulübü

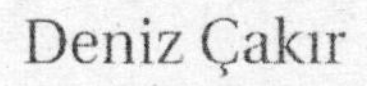

İtinasız Erkekler Kulübü, bağlanmanın, kopmanın ve aşk acısının parodisi... Felsefe çevirilerinden tanıdığımız Deniz Çakır, bu ilk romanında hem çoğuyla sorunlu insanların ruhsal cehennemini anlatıyor, hem de kadın-erkek meselelerindeki 'ironik duruma' gönderme yaparak ezber bozuyor. Dili, anlatımı ve mizahıyla şaşırtıcı bir roman.

Erkekler 'kadının karmaşık yapısı' teranesini çözdüklerinden, ilişkilerin de galiba tadı tuzu kalmadı. İki cins arasındaki gizemi oluşturan gelgitler yok artık. 'Son çare olarak ağlayan kadın' şifresini de çözerlerse işler iyiden iyiye sıkıcı hale gelecek.

Roman

Karanlık Güç Mehmet Hamdi

Vietnam, Afganistan, Irak, İkiz kuleler...Dünyanın güçlü ülkeleri, yüksek teknolojilerine, zırhlarına, akıllı füzelerine, casus uçaklarına, pahalı oyuncaklarına rağmen binlerce can kaybı ve milyarlarca dolar kaybına engel olamadılar. Nizami savaş yerine gayri nizami savaş yöntemlerini kullananların yaptıkları tahribat daha ölümcül oldu...

Yıllar süren araştırmalar sonucunda, en az, atom bombasının savaş tarihini bir anda ve karşı koyulamaz şekilde değiştirdiği kadar etkili yeni bir taktik doğdu. "PARANORMAL SAVAŞ" ilk defa Körfez savaşında başarılı bir şekilde kendini kanıtlayan, kimileri için hayal ve bilimkurgu olarak tanımlanan yeni savaş taktiklerinin en çok bilinenlerinden bazıları şunlardır:

-Uzaktan, belli bir kalabalık üzerinde zihinsel kontrol veya aldatmaca

-Cisimleri düşünce gücü ile oynatabilme, deforme edebilme.

-Hatta henüz tam olarak tanımlayamadığımız, varlıklarla iş birliği kurma...

Roman

Paranormal Türk

Mehmet Hamdi

Trilyonlarca dolarlık araştırmaların sonucu olarak bazı topluluk genetik yapı ve kültürden dolayı "Paranormal yeteneklere" daha yatkın olduğu keşfedilmiştir. Sıkı durun listenin en başında Türkler geliyor. Kendinizi sürekli halsiz, isteksiz, bir şeyleri başaramayacak gibi hissediyorsunuz? Çoğumuz bu durumda değil mi? Tesadüf olabilir mi?

Yoksa dünyanın dengesini değiştirecek kadar yetenekli insanın ortaya çıkmasını bastırmaya çalışanlar mı var? Evet herkesi bastıramıyorlar. Geri kalanıda satın alıyorlar, ülkelerine transfer ediyorlar. Ya da...

“Hazineci baktı mı,
altının buğusunu görür!..”

Roman

Saklı Umudun Peşinde

İbrahim Kılınç

“Hazinecinin gözleri, hazineyle ilgili tüm işaretleri görür. Görmüyorsa, hazineci olamaz. Tıpkı bir avcı gibi!..”

Bu roman, medeniyetler beşiği Anadolu coğrafyasının bağrında saklı umutların peşinde koşan hazinecilerin yaşamlarından kesitler sunmaktadır. Ceplerinde haritalarla, belli belirsiz tarif ve işaretlerin izini süren bu “hazineciler” arasında dilden dile dolaşan efsaneler vardır.

Osmanlı İmparatorluğu’nu ekonomik yönden çökertmek amacıyla soygun ve yağma yaptığı söylenen Volçan, Topal Manol, Lefter, Niko, Papaz Pop Martin gibi eşkiyaların sakladığı hazineleri bulmak için dağ tepe dolaşıp çaba sarfeden insanların hikayesini merak ve keyifle okuyacaksınız.